초등 ~~~ 중 완성

교과특강

초2

B2

시각과 시간

사고력
문제해결력

측정 · 규칙성
자료와 가능성

에듀히어로 Edu HERO

네이버 카페

교재 상세 소개와 진단 테스트
및 유용하게 풀 수 있는
학습 자료를 다운로드 해 보세요.

인스타그램

에듀히어로 인스타그램을
팔로우하시면 다양한 이벤트와
신간 소식을 빠르게 만나보실
수 있습니다.

카카오톡 채널

자녀 수학 공부 상담 및
자유로운 질문을 남겨 주세요.
함께 고민하고
답변해 드리겠습니다.

"진짜 히어로는 우리 아이들입니다!"

에듀히어로는
우리 아이들이 밝고 건강한 내일을 꿈꿀 수 있도록
긍정적이고 효과적인 교육 서비스를 제공하는 것을
최우선 목표로 하고 있습니다.

그 존재만으로도 든든한 히어로처럼 아이들의 곁에서 힘이 되어주고,
나아가 아이들 각자가 스스로의 인생 속 히어로가 될 수 있도록

우리는 진심과 열정을 다해 아이들과 함께 할 것을 약속 드립니다.

히어로컨텐츠 HEROCONTENS

발행일: 2022년 12월   **발행인:** 이예찬

기획개발: 두줄수학연구소

디자인: 4BD STUDIO   **삽화:** 1000DAY

발행처: 히어로컨텐츠

주소: 서울특별시 금천구 서부샛길 632, 7층(대륭테크노타운5차)

전화: 02-862-2220   **팩스:** 02-862-2227

지원카페: cafe.naver.com/eduherocafe   **인스타그램:** @edu_hero   **카카오톡:** 에듀히어로

초등 수학 핵심파트 집중 완성 교과특강

수학을 잘 하기 위해서는 1) 수와 연산 2) 도형 3) 측정 4) 규칙성 5) 자료와 가능성 등 초등 수학 5대 학습 영역을 고르게 학습해야 합니다.

다른 교과 과목에 비해 많은 시간을 수학을 학습하는 데 할애하고 있지만 아쉽게도 대부분은 연산 영역에 편중되어 있습니다.

최근 들어 '도형' 등 연산 이외의 다른 영역으로 학습을 확장하는 교재들이 출간되고 있지만 여전히 학년별로 다양한 학습 영역과 필수 주제를 체계적으로 안내해 주는 학습지는 많지 않은 것이 현실입니다.

그런 이유로 교과특강은 학년별 필수 주제를 기본 개념부터 응용, 사고력까지 충분하게 학습하고 훈련할 수 있도록 개발되었습니다

수학을 잘 하고 싶은 학생들에게 노력한 만큼의 성장을 이루어내는 데 교과특강은 좋은 토양과 밑거름이 되어줄 것입니다.

초등 수학 핵심파트 집중 완성 교과특강은

1. '자료 해석 능력'을 집중적으로 키웁니다.

앞으로의 학습은 주어진 표와 그래프를 보고 그 의미를 해석하고 추론하는 '자료 해석 능력'을 요구합니다. 실제로 초등 전학년 뿐만 아니라 중등 과정에서도 '자료 해석'은 학습자의 문제해결력을 확인하는 중요한 소재가 되고 있습니다. 다양한 표와 그래프를 이해하고 해석하는 학습은 초등 과정부터 미리 준비하고 집중적으로 훈련할 필요가 있습니다.

2. '측정', '규칙성' 등 필수 영역임에도 쉽게 지나칠 수 있는 주제를 체계적으로 학습합니다.

길이, 무게, 시간, 어림하기 등 초등 과정에서 쉽게 지나치기 쉬운 '측정'과 추론 능력을 길러주는 '규칙성'을 집중적으로 학습합니다.

3. 복습과 예습으로 학년과 학년 사이의 징검다리 역할을 합니다.

1학년에서 2학년, 2학년에서 3학년, 3학년에서 4학년 등 학년이 올라갈수록 특정 영역에서 수학이 갑자기 어려워지는 순간이 옵니다. 교과특강은 각 학년에서 반드시 짚고 넘어가야 하는 주제를 복습하면서 다음 학년을 위한 예습까지 할 수 있도록 개발되었습니다.

4. 문제해결력과 사고력을 길러줍니다.

기본적인 개념을 바탕으로 이를 응용하고 활용하는 문제해결력과 생각하는 힘을 길러줍니다.

초등 수학 핵심파트 집중 완성 **교과특강**은

7세부터 6학년까지 총 7단계 21권(단계별 3권)으로 구성되어 있으며 각 권은 하루에 1장씩 주 5회, 총 4주간 체계적으로 학습할 수 있습니다.

매주 5일차의 학습이 끝난 뒤엔 '생각더하기'를 통해 창의력과 사고력을 기르고, 4주의 학습이 끝난 뒤엔 '링크'와 '형성평가'로 관련 주제를 학습하고 교과 수학을 완성할 수 있습니다.

대 상	단 계	구 성
7세 ~ 1학년	P	P1, P2, P3
1학년	A	A1, A2, A3
2학년	B	B1, B2, B3
3학년	C	C1, C2, C3
4학년	D	D1, D2, D3
5학년	E	E1, E2, E3
6학년	F	F1, F2, F3

〈교과 수학 시리즈 B단계 로드맵〉

에듀히어로의 교과 수학 시리즈를 체계적으로 학습하기 위한 로드맵입니다.

예습을 하며 집중적으로 학습하려면 '영역별 집중 학습'을,

교과서 진도에 맞추어 학습하려면 '교과 진도 맞춤 학습'을 권장드립니다.

[영역별 집중 학습]

1월	2월	3월	4월	5월	6월
교과연산 B0 / 교과도형 B1	교과연산 / 교과도형 B2	교과연산 B3 / 교과도형	교과연산 B3 / 교과특강 B1	교과특강 B2	교과특강 B3

[교과 진도 맞춤 학습]

1월	2월	3월	4월	5월	6월	7월	8월	9월	10월
교과연산 B0	교과도형 B1	교과도형 B2	교과연산	교과연산 B1	교과도형 B2	교과연산 B3	교과특강 B1	교과특강 B2	교과특강 B3

교과특강은 교과 수학을 완성합니다.

주제별 학습

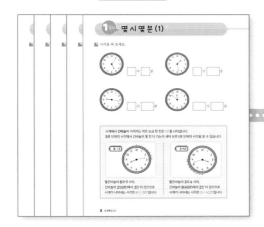

생각더하기

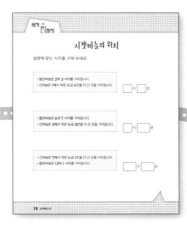

초등 수학을 주제별로 집중 학습합니다. 각 주차의 마지막에 있는 **생각더하기**로 문제해결력을 기릅니다.

링크

형성평가

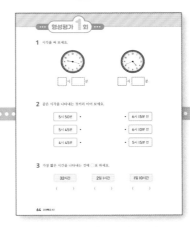

주제별 학습과 연결하여 사고력과 창의력을 향상시킬 수 있는 내용을 학습합니다.

2회의 형성평가로 배운 내용을 잘 알고 있는지 확인합니다.

이 책의 차례

1 주차

시각 읽기

시각을 써 보세요.

 ☐ 시 ☐ 분

 ☐ 시 ☐ 분

 ☐ 시 ☐ 분

 ☐ 시 ☐ 분

시계에서 **긴바늘**이 가리키는 작은 눈금 한 칸은 **1**분을 나타냅니다.
5분 단위의 시각에서 긴바늘이 몇 칸 더 가는지 세어 보면 **1**분 단위의 시각을 알 수 있습니다.

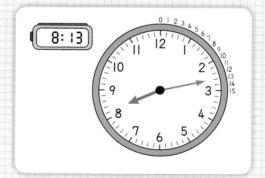

짧은바늘이 **8**과 **9** 사이,
긴바늘이 **2**(10분)에서 **3**칸 더 갔으므로
시계가 나타내는 시각은 **8**시 **13**분입니다.

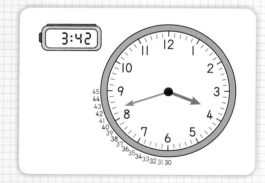

짧은바늘이 **3**과 **4** 사이,
긴바늘이 **8**(40분)에서 **2**칸 더 갔으므로
시계가 나타내는 시각은 **3**시 **42**분입니다.

■ 같은 시각끼리 이어 보세요.

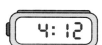

| 2:24 | 4:12 | 2:41 | 4:29 |

| 8:56 | 7:52 | 9:03 | 8:08 |

몇 시 몇 분 (2)

시각을 시계에 바르게 나타낸 것에 ◯표 하세요.

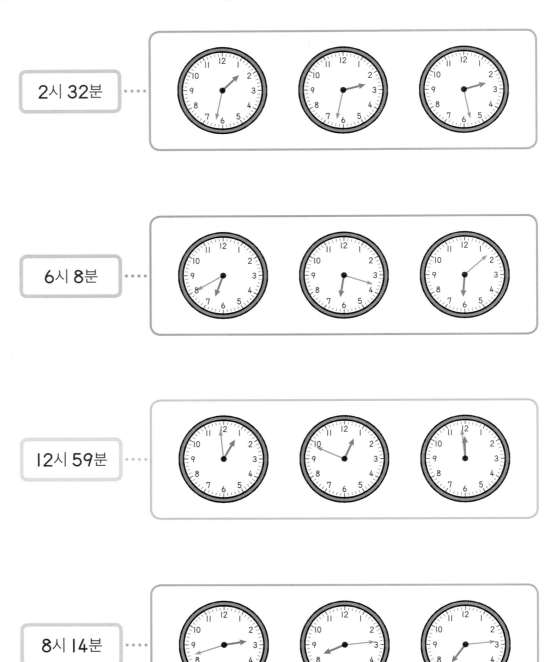

2시 32분

6시 8분

12시 59분

8시 14분

■ 시각을 바르게 읽은 것에 ◯표 하세요.

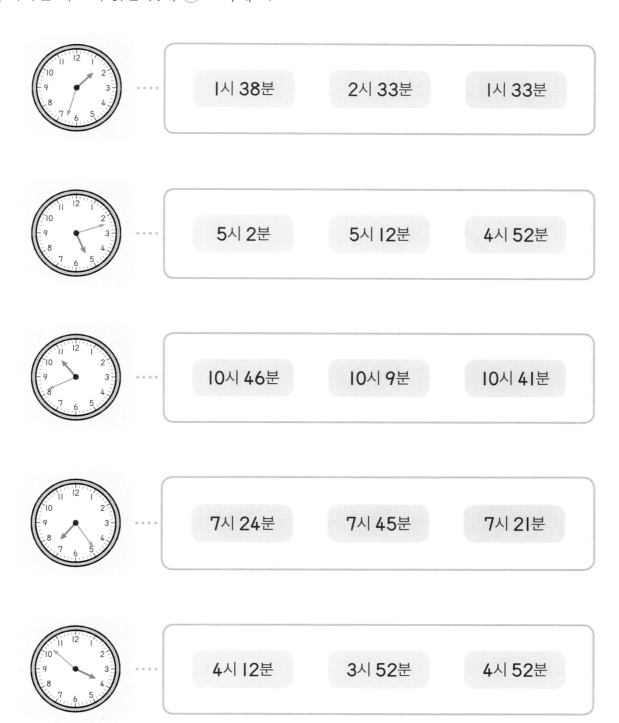

1시 38분　　2시 33분　　1시 33분

5시 2분　　5시 12분　　4시 52분

10시 46분　　10시 9분　　10시 41분

7시 24분　　7시 45분　　7시 21분

4시 12분　　3시 52분　　4시 52분

■ 시계를 보고 빈칸에 알맞은 수를 써넣으세요.

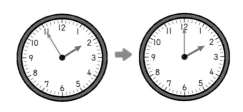

1시 55분에서 ☐ 분이 더 지나면 2시입니다.

1시 55분은 2시 ☐ 분 전입니다.

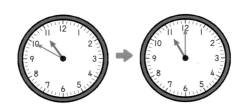

10시 50분에서 ☐ 분이 더 지나면 11시입니다.

10시 50분은 ☐ 시 10분 전입니다.

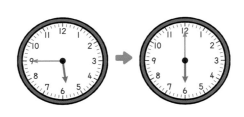

5시 45분에서 ☐ 분이 더 지나면 6시입니다.

5시 45분은 ☐ 시 ☐ 분 전입니다.

1시 55분은 2시 5분 전, 1시 50분은 2시 10분 전, 1시 45분은 2시 15분 전입니다.

 5분 후 → ← 5분 전 5분 후 → ← 5분 전 5분 후 → ← 5분 전

시계를 보고 빈칸에 알맞은 수를 써넣으세요.

2시 50분은 3시 ☐ 분 전입니다.

6시 55분은 ☐ 시 5분 전입니다.

9시 55분은 10시 ☐ 분 전입니다.

11시 45분은 ☐ 시 15분 전입니다.

3시 45분은 4시 ☐ 분 전입니다.

12시 50분은 ☐ 시 10분 전입니다.

시각에 맞게 긴바늘을 그려 넣으세요.

1시 21분	3시 32분	6시 14분

9시 22분	5시 57분	10시 4분

8:42	11:07	4:51

시각에 맞게 긴바늘을 그려 넣으세요.

3시 5분 전

10시 10분 전

4시 15분 전

9시 15분 전

1시 5분 전

8시 10분 전

6시 10분 전

11시 15분 전

5시 5분 전

🚩 물음에 답하세요.

민지, 하준, 지수가 공원에서 만나기로 했습니다. 공원에 도착한 시각이 다른 친구는 누구일까요?

민지가 도착한 시각

하준이가 도착한 시각

지수가 도착한 시각

11시 10분 전

(   )

선우, 다은, 서희가 그림을 그리고 있습니다. 그림을 다 그린 시각이 다른 친구는 누구일까요?

선우가 다 그린 시각

3시 15분 전

다은이가 다 그린 시각

2:45

서희가 다 그린 시각

(   )

■ 물음에 답하세요.

승호와 세아가 오늘 아침에 일어난 시각입니다. 더 일찍 일어난 사람은 누구일까요?

승호가 일어난 시각

세아가 일어난 시각

( )

연수와 재하가 학교에 도착한 시각입니다. 학교에 더 늦게 도착한 사람은 누구일까요?

연수가 도착한 시각

9시 10분 전

재하가 도착한 시각

( )

시곗바늘의 위치

설명에 맞는 시각을 구해 보세요.

- 짧은바늘은 **2**와 **3** 사이를 가리킵니다.
- 긴바늘은 **1**에서 작은 눈금 **4**칸을 더 간 곳을 가리킵니다.

☐ 시 ☐ 분

- 짧은바늘은 **6**과 **7** 사이를 가리킵니다.
- 긴바늘은 **3**에서 작은 눈금 **3**칸을 더 간 곳을 가리킵니다.

☐ 시 ☐ 분

- 긴바늘은 **7**에서 작은 눈금 **1**칸을 더 간 곳을 가리킵니다.
- 짧은바늘은 **12**와 **1** 사이를 가리킵니다.

☐ 시 ☐ 분

2주차

1시간

■ 시계와 시간 띠를 보고 빈칸에 알맞은 수를 써넣으세요.

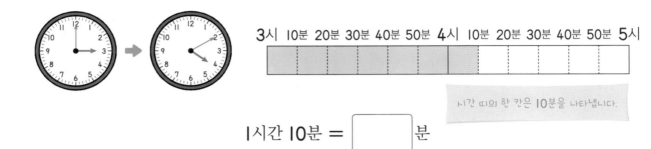

시간 띠의 한 칸은 10분을 나타냅니다.

1시간 10분 = ☐ 분

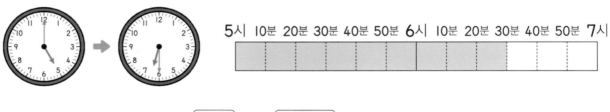

☐시간 ☐분 = 90분

시계의 긴바늘이 한 바퀴를 도는 데 60분이 걸립니다.

1시 10분 20분 30분 40분 50분 2시

1시간 = 60분

시계의 긴바늘이 한 바퀴를 돌면 짧은바늘이 1에서 2로 움직이고, 1시간이 걸립니다.
따라서 60분은 1시간입니다.

*시각은 시간의 한 순간으로 시계의 침이 가리키는 시점이고, 시간은 시각과 시각의 사이를 나타냅니다.

빈칸에 알맞은 수를 써넣으세요.

1시간 = ☐ 분

80분 = ☐ 시간 ☐ 분

1시간 20분 = ☐ 분

100분 = ☐ 시간 ☐ 분

1시간 15분 = ☐ 분

115분 = ☐ 시간 ☐ 분

1시간 45분 = ☐ 분

65분 = ☐ 시간 ☐ 분

2시간 = ☐ 분

130분 = ☐ 시간 ☐ 분

2시간 5분 = ☐ 분

150분 = ☐ 시간 ☐ 분

두 시계를 보고 시간이 얼마나 흘렀는지 시간 띠에 나타내고 걸린 시간을 구해 보세요.

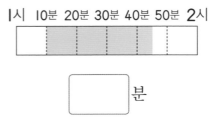

|시 10분 20분 30분 40분 50분 2시

분

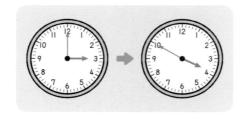

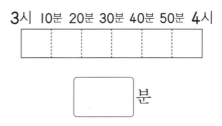

3시 10분 20분 30분 40분 50분 4시

분

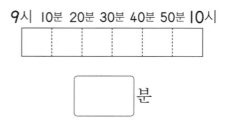

9시 10분 20분 30분 40분 50분 10시

분

6시 10분 20분 30분 40분 50분 7시 10분 20분 30분 40분 50분 8시

분

두 시계를 보고 시간이 얼마나 흘렀는지 시간 띠에 나타내고 걸린 시간을 구해 보세요.

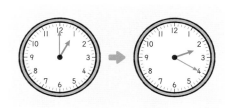

1시 10분 20분 30분 40분 50분 2시 10분 20분 30분 40분 50분 3시

[　　　] 분 = [　　　] 시간 [　　　] 분

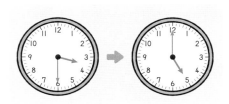

3시 10분 20분 30분 40분 50분 4시 10분 20분 30분 40분 50분 5시

[　　　] 분 = [　　　] 시간 [　　　] 분

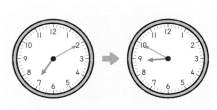

7시 10분 20분 30분 40분 50분 8시 10분 20분 30분 40분 50분 9시

[　　　] 분 = [　　　] 시간 [　　　] 분

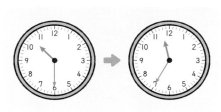

10시 10분 20분 30분 40분 50분 11시 10분 20분 30분 40분 50분 12시

[　　　] 분 = [　　　] 시간 [　　　] 분

끝난 시각

시간 띠에 걸린 시간을 나타내고 끝난 시각을 구해 보세요.

시작한 시각: **7**시 **10**분   걸린 시간: **30**분

7시 10분 20분 30분 40분 50분 **8**시 10분 20분 30분 40분 50분 **9**시

끝난 시각
◻시 ◻분

시작한 시각: **12**시 **15**분   걸린 시간: **35**분

12시 10분 20분 30분 40분 50분 **1**시 10분 20분 30분 40분 50분 **2**시

끝난 시각
◻시 ◻분

시작한 시각: **2**시 **30**분   걸린 시간: **50**분

2시 10분 20분 30분 40분 50분 **3**시 10분 20분 30분 40분 50분 **4**시

끝난 시각
◻시 ◻분

시간 띠에 걸린 시간을 나타내고 끝난 시각을 구해 보세요.

시작한 시각: **3**시   걸린 시간: **80**분

3시 10분 20분 30분 40분 50분 **4**시 10분 20분 30분 40분 50분 **5**시

끝난 시각
[　]시 [　]분

시작한 시각: **9**시 **10**분   걸린 시간: **1**시간 **30**분

9시 10분 20분 30분 40분 50분 **10**시 10분 20분 30분 40분 50분 **11**시

끝난 시각
[　]시 [　]분

시작한 시각: **6**시 **40**분   걸린 시간: **1**시간 **15**분

6시 10분 20분 30분 40분 50분 **7**시 10분 20분 30분 40분 50분 **8**시

끝난 시각
[　]시 [　]분

시간 띠에 걸린 시간을 나타내고 시작한 시각을 구해 보세요.

걸린 시간: **50분**　　　끝난 시각: **8시**

7시 10분 20분 30분 40분 50분 **8시** 10분 20분 30분 40분 50분 **9시**

시작한 시각

[ ]시 [ ]분

끝난 시각부터 거꾸로 걸린 시간을
시간 띠에 나타냅니다.

걸린 시간: **20분**　　　끝난 시각: **1시 50분**

1시 10분 20분 30분 40분 50분 **2시** 10분 20분 30분 40분 50분 **3시**

시작한 시각

[ ]시 [ ]분

걸린 시간: **45분**　　　끝난 시각: **7시 20분**

6시 10분 20분 30분 40분 50분 **7시** 10분 20분 30분 40분 50분 **8시**

시작한 시각

[ ]시 [ ]분

시간 띠에 걸린 시간을 나타내고 시작한 시각을 구해 보세요.

걸린 시간: **90분**　　　　끝난 시각: **4**시

2시 10분 20분 30분 40분 50분 **3**시 10분 20분 30분 40분 50분 **4**시

시작한 시각

[　]시 [　]분

걸린 시간: **1**시간 **10분**　　　끝난 시각: **6**시 **30분**

5시 10분 20분 30분 40분 50분 **6**시 10분 20분 30분 40분 50분 **7**시

시작한 시각

[　]시 [　]분

걸린 시간: **1**시간 **35분**　　　끝난 시각: **11**시 **45분**

10시 10분 20분 30분 40분 50분 **11**시 10분 20분 30분 40분 50분 **12**시

시작한 시각

[　]시 [　]분

■ 물음에 답하세요.

재하는 4시 20분부터 1시간 30분 동안 기차를 타고 이동했습니다. 기차가 도착한 시각은 몇 시 몇 분일까요?

출발한 시각

□시 □분

공연이 시작한 시각과 끝난 시각입니다. 공연을 하는 데 걸린 시간은 몇 시간 몇 분일까요?

시작한 시각   끝난 시각

□시간 □분

연지가 1시간 10분 동안 태권도를 하고 시계를 보니 5시 25분이었습니다. 태권도를 시작한 시각은 몇 시 몇 분일까요?

끝난 시각

□시 □분

■ 물음에 답하세요.

2시에 축구 경기를 시작하여 45분 동안 경기를 하고 15분 동안 쉬고 다시 45분 동안 경기를 했습니다. 축구 경기가 끝난 시각은 몇 시 몇 분일까요?

□ 시 □ 분

연아와 지호가 책을 읽기 시작한 시각과 끝난 시각입니다. 책을 더 오래 읽은 사람은 누구일까요?

	시작한 시각	끝난 시각
연아	4시 40분	5시 30분
지호	4시 10분	5시 20분

( )

시안이는 10시 15분 전에 영화를 보기 시작하여 12시 5분 전까지 보았습니다. 시안이가 영화를 본 시간은 몇 시간 몇 분일까요?

□ 시간 □ 분

시각과 시간

영재가 쓴 일기입니다. '시' 또는 '시간' 중 알맞은 말에 ◯표 하세요.

10월 15일 토요일   맑음

오늘은 과수원에서 사과 따기 체험을 했다.

10 (시 , 시간) 30분부터 체험을 시작하여

1 (시 , 시간) 동안 사과를 땄다.

처음에는 재미있었지만 나중에는 조금 힘들었다.

체험이 끝나니 11 (시 , 시간) 30분이었다.

내가 직접 딴 사과를 먹으니 더욱 맛있었다.

3 주차 하루의 시간

■ 시간 띠를 보고 빈칸에 알맞은 수를 써넣으세요.

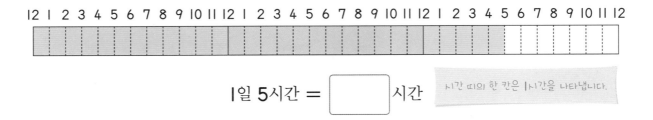

1일 5시간 = □ 시간

시간 띠의 한 칸은 1시간을 나타냅니다.

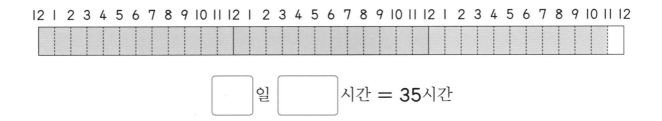

□ 일 □ 시간 = 35시간

1일 □ 시간 = □ 시간

밤 **12**시부터 시작하여 시계의 **짧은바늘**이 한 바퀴 돌면 **12**시간이 걸리고 낮 **12**시가 됩니다.
낮 **12**시부터 시작하여 시계의 **짧은바늘**이 한 바퀴 돌면 **12**시간이 걸리고 밤 **12**시가 됩니다.
따라서 하루(1일)는 24시간입니다.

12 1 2 3 4 5 6 7 8 9 10 11 12 1 2 3 4 5 6 7 8 9 10 11 12

12시간(오전)   12시간(오후)

1일 = 24시간

■ 빈칸에 알맞은 수를 써넣으세요.

1일 = [   ]시간

28시간 = [   ]일 [   ]시간

1일 1시간 = [   ]시간

36시간 = [   ]일 [   ]시간

1일 15시간 = [   ]시간

40시간 = [   ]일 [   ]시간

2일 = [   ]시간

45시간 = [   ]일 [   ]시간

2일 12시간 = [   ]시간

55시간 = [   ]일 [   ]시간

2일 20시간 = [   ]시간

72시간 = [   ]일

2일차 오전과 오후

오전 또는 오후를 알맞게 써넣으세요.

아침 **8**시 ➡ (　　　　　)　　　　　밤 **10**시 ➡ (　　　　　)

저녁 **7**시 ➡ (　　　　　)　　　　　새벽 **1**시 ➡ (　　　　　)

낮 **2**시 ➡ (　　　　　)　　　　　밤 **11**시 ➡ (　　　　　)

새벽 **5**시 ➡ (　　　　　)　　　　　아침 **10**시 ➡ (　　　　　)

하루 **24**시간 중에 전날 밤 **12**시부터 낮 **12**시까지를 오전이라 하고 낮 **12**시부터 밤 **12**시까지를 오후라고 합니다.

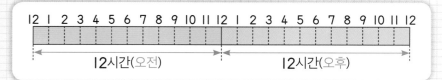

실생활에서 오전과 오후는 시각에 따라 **새벽** 몇 시, **아침** 몇 시, **낮** 몇 시, **저녁** 몇 시, **밤** 몇 시로 나타내기도 합니다.

■ 하루 생활계획표를 보고 알맞은 말에 ○표 하고 빈칸에 알맞은 수를 써넣으세요.

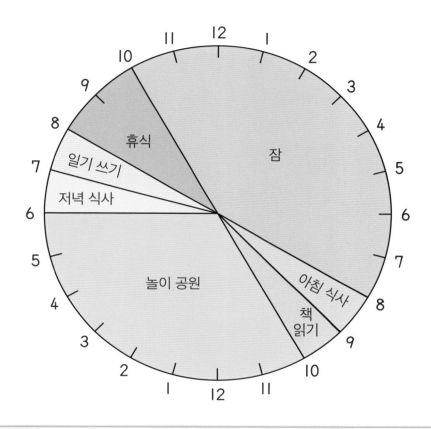

(오전 , 오후) **8**시에 일어나서 아침을 먹습니다.

(오전 , 오후)에 책을 읽고, (오전 , 오후)에 일기를 씁니다.

(오전 , 오후) ☐시부터 (오전 , 오후) ☐시까지
놀이공원에 있습니다.

걸린 시간

🔲 시간 띠에 걸린 시간을 나타내고 걸린 시간을 구해 보세요.

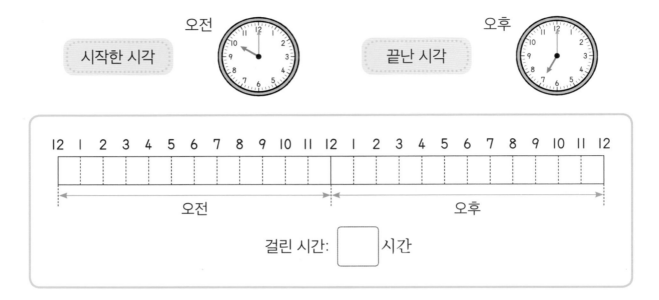

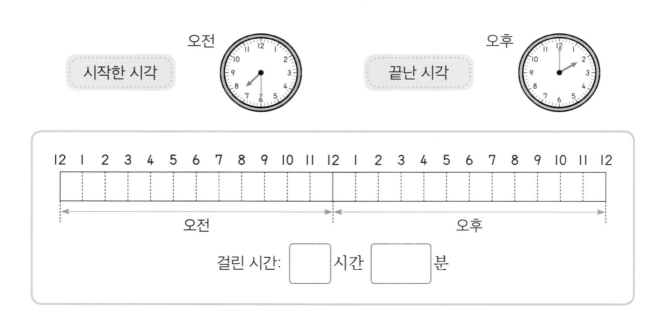

■ 물음에 답하세요.

윤서는 오전 **8**시부터 오후 **2**시까지 도자기 체험을 했습니다. 윤서가 도자기 체험을 한 시간은 몇 시간일까요?

☐ 시간

민석이는 오전 **11**시부터 오후 **1**시 **20**분까지 영화를 보았습니다. 민석이가 영화를 본 시간은 몇 시간 몇 분일까요?

☐ 시간 ☐ 분

유나는 오후 **10**시 **30**분에 잠이 들어 다음날 오전 **8**시에 일어났습니다. 유나가 잠을 잔 시간은 몇 시간 몇 분일까요?

☐ 시간 ☐ 분

지혁이는 오전 **9**시 **40**분부터 오후 **3**시까지 박물관에 있었습니다. 지혁이가 박물관에 있었던 시간은 몇 시간 몇 분일까요?

☐ 시간 ☐ 분

시계를 보고 알맞은 말에 ○표 하고 빈칸에 알맞은 수를 써넣으세요.

긴바늘이 l바퀴 돌면 (오전 , 오후) [ ]시입니다.

긴바늘이 4바퀴 돌면 (오전 , 오후) [ ]시입니다.

짧은바늘이 l바퀴 돌면 (오전 , 오후) [ ]시입니다.

긴바늘이 l바퀴 돌면 (오전 , 오후) [ ]시 [ ]분입니다.

긴바늘이 6바퀴 돌면 (오전 , 오후) [ ]시 [ ]분입니다.

짧은바늘이 2바퀴 돌면 (오전 , 오후) [ ]시 [ ]분입니다.

■ 물음에 답하여 알맞은 말에 ◯표 하고 시각을 써넣으세요.

오전 6시 25분에 해가 떠서 시계의 짧은바늘이 한 바퀴 돌았을 때 해가 졌습니다. 해가 진 시각을 구해 보세요.

(오전 , 오후) ☐ 시 ☐ 분

예서는 오후 1시에 동물원에 들어가서 시계의 긴바늘이 6바퀴 돌았을 때 동물원에서 나왔습니다. 예서가 동물원을 나온 시각을 구해 보세요.

(오전 , 오후) ☐ 시

진우네 가족은 오전 9시 30분에 여행을 가서 시계의 짧은바늘이 2바퀴 돌았을 때 집으로 돌아왔습니다. 집으로 돌아온 시각을 구해 보세요.

(오전 , 오후) ☐ 시 ☐ 분

수민이는 오전 8시 50분에 학교에 도착하여 시계의 긴바늘이 4바퀴 돌았을 때 학교에서 나왔습니다. 수민이가 학교를 나온 시각을 구해 보세요.

(오전 , 오후) ☐ 시 ☐ 분

■ 유성이네 가족의 캠핑 일정표입니다. 물음에 답하세요.

첫째 날

시간	일정
9:00 ~ 11:00	캠핑장으로 이동
11:00 ~ 12:00	텐트 설치
12:00 ~ 1:00	점심 식사
1:00 ~ 4:00	물놀이
⋮	⋮

둘째 날

시간	일정
8:00 ~ 9:00	아침 식사
9:00 ~ 10:00	곤충 채집
⋮	⋮
12:00 ~ 1:00	텐트 정리
1:00 ~ 3:00	집으로 이동

유성이네 가족이 오전에 한 일에 모두 ◯표 하세요.

| 텐트 설치 | 물놀이 | 곤충 채집 | 텐트 정리 |

유성이네 가족은 오전 **9**시에 출발하여 다음날 오후 **3**시에 돌아왔습니다.
유성이네 가족이 캠핑하는 데 걸린 시간은 모두 몇 시간인가요?

( )시간

■ 축구 대회 일정표입니다. 물음에 답하세요.

첫째 날

시간	일정
9:30 ~ 10:00	개회식
10:00 ~ 12:00	1팀과 2팀 경기
12:00 ~ 1:00	점심 시간
1:00 ~ 1:30	휴식
1:30 ~ 3:30	3팀과 4팀 경기
3:30 ~ 5:30	1팀과 3팀 경기

둘째 날

시간	일정
8:30 ~ 10:30	2팀과 3팀 경기
10:30 ~ 12:30	1팀과 4팀 경기
12:30 ~ 1:30	점심 시간
1:30 ~ 2:00	휴식
2:00 ~ 4:00	2팀과 4팀 경기
4:00 ~ 5:00	시상 및 폐회식

축구 대회에서 오후 일정에 모두 ◯표 하세요.

| 1팀과 2팀 경기 | 2팀과 3팀 경기 | 2팀과 4팀 경기 | 시상 및 폐회식 |

첫째 날은 오전 9시 30분에 시작하여 오후 5시 30분에 끝납니다. 첫째 날 대회를 하는 데 걸린 시간은 모두 몇 시간인가요?

(   )시간

파리의 시각

프랑스 파리의 시각은 한국 서울의 시각보다 8시간 느립니다. 서울이 오후 3시일 때 파리는 몇 시인지 알맞은 말에 ○표 하고 빈칸에 알맞은 수를 써넣으세요.

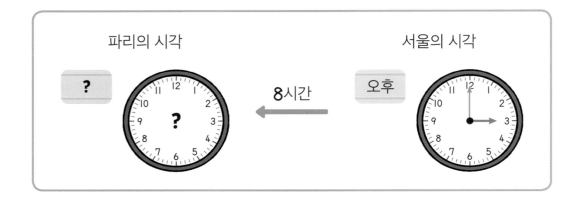

파리의 시각: (오전 , 오후) ☐ 시

4주차 달력

■ 1년 달력을 알아봅시다.

1월

일	월	화	수	목	금	토
	1	2	3	4	5	6
7	8	9	10	11	12	13
14	15	16	17	18	19	20
21	22	23	24	25	26	27
28	29	30	31			

2월

일	월	화	수	목	금	토
				1	2	3
4	5	6	7	8	9	10
11	12	13	14	15	16	17
18	19	20	21	22	23	24
25	26	27	28			

3월

일	월	화	수	목	금	토
				1	2	3
4	5	6	7	8	9	10
11	12	13	14	15	16	17
18	19	20	21	22	23	24
25	26	27	28	29	30	31

4월

일	월	화	수	목	금	토
1	2	3	4	5	6	7
8	9	10	11	12	13	14
15	16	17	18	19	20	21
22	23	24	25	26	27	28
29	30					

5월

일	월	화	수	목	금	토
		1	2	3	4	5
6	7	8	9	10	11	12
13	14	15	16	17	18	19
20	21	22	23	24	25	26
27	28	29	30	31		

6월

일	월	화	수	목	금	토
					1	2
3	4	5	6	7	8	9
10	11	12	13	14	15	16
17	18	19	20	21	22	23
24	25	26	27	28	29	30

7월

일	월	화	수	목	금	토
1	2	3	4	5	6	7
8	9	10	11	12	13	14
15	16	17	18	19	20	21
22	23	24	25	26	27	28
29	30	31				

8월

일	월	화	수	목	금	토
			1	2	3	4
5	6	7	8	9	10	11
12	13	14	15	16	17	18
19	20	21	22	23	24	25
26	27	28	29	30	31	

9월

일	월	화	수	목	금	토
						1
2	3	4	5	6	7	8
9	10	11	12	13	14	15
16	17	18	19	20	21	22
23	24	25	26	27	28	29
30						

10월

일	월	화	수	목	금	토
	1	2	3	4	5	6
7	8	9	10	11	12	13
14	15	16	17	18	19	20
21	22	23	24	25	26	27
28	29	30	31			

11월

일	월	화	수	목	금	토
				1	2	3
4	5	6	7	8	9	10
11	12	13	14	15	16	17
18	19	20	21	22	23	24
25	26	27	28	29	30	

12월

일	월	화	수	목	금	토
						1
2	3	4	5	6	7	8
9	10	11	12	13	14	15
16	17	18	19	20	21	22
23	24	25	26	27	28	29
30	31					

■ 왼쪽 달력을 보고 물음에 답하세요.

31일까지 있는 달은 ☐월, ☐월, ☐월, ☐월, ☐월,

☐월, ☐월입니다.

30일까지 있는 달은 ☐월, ☐월, ☐월, ☐월입니다.

28일까지 있는 달은 ☐월입니다.

2월은 28일까지 있지만 4년에 한 번씩 29일이 됩니다.

같은 요일은 7일마다 반복되고 7일간을 1주일이라고 합니다.
일요일부터 토요일까지 7일은 1주일이고, 화요일부터 다음 주 월요일까지 7일도 1주일입니다.
같은 달은 12개월마다 반복되고 12개월간을 1년이라고 합니다.
1월부터 12월까지 12개월은 1년이고, 3월부터 다음 해 2월까지 12개월도 1년입니다.

1주일 = 7일   1년 = 12개월

*1월, 2월은 각각의 달을 뜻하고, 1개월, 2개월 또는 1달, 2달은 기간을 뜻합니다.

■ 빈칸에 알맞은 수를 써넣으세요.

1주일 = ☐일

21일 = ☐주일

2주일 = ☐일

28일 = ☐주일

1년 = ☐개월

15개월 = ☐년 ☐개월

2년 = ☐개월

36개월 = ☐년

1년 6개월 = ☐개월

22개월 = ☐년 ☐개월

2년 2개월 = ☐개월

30개월 = ☐년 ☐개월

가장 긴 기간부터 차례로 기호를 써 보세요.

⊙ 1주일　　　ⓒ 10일　　　ⓒ 1일

(　　 , 　　 , 　　)

⊙ 30일　　　ⓒ 4주일　　　ⓒ 2개월

(　　 , 　　 , 　　)

⊙ 10개월　　　ⓒ 1년　　　ⓒ 1년 3개월

(　　 , 　　 , 　　)

⊙ 2년　　　ⓒ 16개월　　　ⓒ 1년 8개월

(　　 , 　　 , 　　)

⊙ 2년 5개월　　　ⓒ 3년 1개월　　　ⓒ 32개월

(　　 , 　　 , 　　)

지워진 달력

어느 해의 4월 달력입니다. 달력을 보고 물음에 답하세요.

4월

일	월	화	수	목	금	토
			7	8		
				15	16	
18	19					

4월의 마지막 날은 윤서의 생일입니다. 윤서의 생일은 무슨 요일인가요?

( )요일

4월에 화요일은 모두 몇 번 있나요?

( )번

우준이는 4월의 매주 토요일에 등산을 하기로 했습니다. 우준이가 4월에 등산을 하는 날짜를 모두 써 보세요.

( )일, ( )일, ( )일, ( )일

■ 어느 해의 1월 달력입니다. 달력을 보고 물음에 답하세요.

1월

일	월	화	수	목	금	토
	1	2				
					12	13
14	15					
		23	24			

1월의 마지막 날은 무슨 요일인가요?

(　　　　)요일

1월의 목요일인 날짜를 모두 써 보세요.

(　　　　)일, (　　　　)일, (　　　　)일, (　　　　)일

치우는 1월의 매주 수요일과 토요일에 피아노 학원을 갑니다. 치우는 1월에 피아노 학원을 모두 몇 번 가나요?

(　　　　)번

4일차 며칠 전과 후

어느 해의 11월과 12월 달력입니다. 달력을 보고 물음에 답하세요.

11월

일	월	화	수	목	금	토
1	2	3	4	5	6	7
8	9	10	11	12	13	14
15	16	17	18	19	20	21
22	23	24	25	26	27	28
29	30					

12월

일	월	화	수	목	금	토
		1	2	3	4	5
6	7	8	9	10	11	12
13	14	15	16	17	18	19
20	21	22	23	24	25	26
27	28	29	30	31		

11월 6일에서 10일 후는 몇 월 며칠 무슨 요일인가요?

7일마다 같은 요일이 반복되므로 7씩 뛰어 셉니다.

( )월 ( )일 ( )요일

11월 18일에서 2주일 후는 몇 월 며칠 무슨 요일인가요?

( )월 ( )일 ( )요일

11월 23일에서 20일 후는 몇 월 며칠 무슨 요일인가요?

( )월 ( )일 ( )요일

어느 해의 **7월**과 **8월** 달력입니다. 달력을 보고 물음에 답하세요.

7월

일	월	화	수	목	금	토
	1	2	3	4	5	6
7	8	9	10	11	12	13
14	15	16	17	18	19	20
21	22	23	24	25	26	27
28	29	30	31			

8월

일	월	화	수	목	금	토
				1	2	3
4	5	6	7	8	9	10
11	12	13	14	15	16	17
18	19	20	21	22	23	24
25	26	27	28	29	30	31

8월 3일에서 **5일** 전은 몇 월 며칠 무슨 요일인가요?

( )월 ( )일 ( )요일

8월 1일에서 **1주일** 전은 몇 월 며칠 무슨 요일인가요?

( )월 ( )일 ( )요일

8월 7일에서 **15일** 전은 몇 월 며칠 무슨 요일인가요?

( )월 ( )일 ( )요일

■ 어느 해의 **2**월과 **3**월 달력입니다. 달력을 보고 물음에 답하세요.

2월						
일	월	화	수	목	금	토
				1	2	3
4	5	6	7	8	9	10
11	12	13	14	15	16	17
18	19	20	21	22	23	24
25	26	27	28			

3월						
일	월	화	수	목	금	토
				1	2	3
4	5	6	7	8	9	10
11	12	13	14	15	16	17
18	19	20	21	22	23	24
25	26	27	28	29	30	31

2월 **1**일부터 **2**월 **10**일까지 별빛 축제를 합니다. 별빛 축제를 하는 기간은 며칠인가요?

(   )일

3월 **18**일부터 **3**월 **31**일까지 전시회를 합니다. 전시회를 하는 기간은 며칠인가요?

(   )일

세아는 **2**월 **26**일부터 **3**월 **5**일까지 매일 봉사활동을 하기로 했습니다. 세아가 봉사활동을 하는 기간은 며칠인가요?

(   )일

물음에 답하세요.

1월 1일부터 1월 8일까지 새해 축제를 합니다. 새해 축제를 하는 기간은 며칠일까요?

( )일

과학관에서 5월 5일부터 5월 15일까지 로봇 체험을 합니다. 로봇 체험을 하는 기간은 며칠일까요?

( )일

9월 14일부터 9월의 마지막 날까지 음악회를 합니다. 음악회를 하는 기간은 며칠일까요?

( )일

8월 30일부터 9월 10일까지 수영 대회를 합니다. 수영 대회를 하는 기간은 며칠일까요?

( )일

찢어진 달력

어느 해 5월 달력의 아랫부분이 찢어졌습니다. 5월 20일에서 2주일 후는
영우의 생일입니다. 영우의 생일은 몇 월 며칠 무슨 요일일까요?

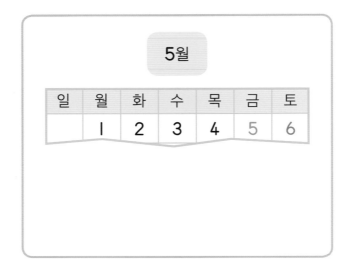

일	월	화	수	목	금	토
	1	2	3	4	5	6

5월

영우의 생일: ☐월 ☐일 ☐요일

링크 **연속된 달력**

어느 해의 **7**월 달력입니다. 달력을 보고 물음에 답하세요.

7월

일	월	화	수	목	금	토
1	2	3	4	5	6	7
8	9	10	11	12	13	14
15	16	17	18	19	20	21
22	23	24	25	26	27	28
29	30	31				

7월의 다음 달 첫 날은 몇 월 며칠 무슨 요일인가요?

( )월 ( )일 ( )요일

7월의 다음 달 마지막 날은 몇 월 며칠 무슨 요일인가요?

일	월	화	수	목	금	토

1일에서 7씩 뛰어 세면서 마지막 날을 찾습니다.

( )월 ( )일 ( )요일

▼ 물음에 답하세요.

어느 해 12월 달력입니다. 12월의 다음 달 마지막 날은 몇 월 며칠 무슨 요일일까요?

12월

일	월	화	수	목	금	토
		1	2	3	4	5
6	7	8	9	10	11	12
13	14	15	16	17	18	19
20	21	22	23	24	25	26
27	28	29	30	31		

(   )월 (   )일 (   )요일

어느 해 4월 달력입니다. 4월의 다음 달 20일은 민준이의 생일입니다. 민준이의 생일은 몇 월 며칠 무슨 요일일까요?

4월

일	월	화	수	목	금	토
					1	2
3	4	5	6	7	8	9
10	11	12	13	14	15	16
17	18	19	20	21	22	23
24	25	26	27	28	29	30

(   )월 (   )일 (   )요일

전 달

어느 해의 **10**월 달력입니다. 달력을 보고 물음에 답하세요.

10월

일	월	화	수	목	금	토
		1	2	3	4	5
6	7	8	9	10	11	12
13	14	15	16	17	18	19
20	21	22	23	24	25	26
27	28	29	30	31		

10월의 전 달 마지막 날은 몇 월 며칠 무슨 요일인가요?

( )월 ( )일 ( )요일

10월의 전 달 첫 날은 몇 월 며칠 무슨 요일인가요?

일	월	화	수	목	금	토

마지막 날에서 **7**씩 거꾸로 뛰어 세면서 첫 날을 찾습니다.

( )월 ( )일 ( )요일

물음에 답하세요.

어느 해 1월 달력입니다. 1월의 전 달 첫 날은 몇 월 며칠 무슨 요일일까요?

1월

일	월	화	수	목	금	토
				1	2	3
4	5	6	7	8	9	10
11	12	13	14	15	16	17
18	19	20	21	22	23	24
25	26	27	28	29	30	31

( )월 ( )일 ( )요일

어느 해 7월 달력입니다. 7월의 전 달 15일은 은아의 생일입니다. 은아의 생일은 몇 월 며칠 무슨 요일일까요?

7월

일	월	화	수	목	금	토
	1	2	3	4	5	6
7	8	9	10	11	12	13
14	15	16	17	18	19	20
21	22	23	24	25	26	27
28	29	30	31			

( )월 ( )일 ( )요일

달력 배열하기

어느 해 1월부터 6월까지의 달력이 섞여 있습니다. 각 달의 달력을 찾아 빈칸에 알맞은 수를 써넣으세요.

☐ 월

일	월	화	수	목	금	토
				1	2	3
4	5	6	7	8	9	10
11	12	13	14	15	16	17
18	19	20	21	22	23	24
25	26	27	28	29	30	31

☐ 월

일	월	화	수	목	금	토
					1	2
3	4	5	6	7	8	9
10	11	12	13	14	15	16
17	18	19	20	21	22	23
24	25	26	27	28	29	30

☐ 월

일	월	화	수	목	금	토
				1	2	3
4	5	6	7	8	9	10
11	12	13	14	15	16	17
18	19	20	21	22	23	24
25	26	27	28			

☐ 월

일	월	화	수	목	금	토
1	2	3	4	5	6	7
8	9	10	11	12	13	14
15	16	17	18	19	20	21
22	23	24	25	26	27	28
29	30					

☐ 월

일	월	화	수	목	금	토
		1	2	3	4	5
6	7	8	9	10	11	12
13	14	15	16	17	18	19
20	21	22	23	24	25	26
27	28	29	30	31		

☐ 월

일	월	화	수	목	금	토
	1	2	3	4	5	6
7	8	9	10	11	12	13
14	15	16	17	18	19	20
21	22	23	24	25	26	27
28	29	30	31			

어느 해 10월부터 다음 해 3월까지의 달력이 섞여 있습니다. 각 달의 달력을 찾아 빈칸에 알맞은 수를 써넣으세요.

☐ 월

일	월	화	수	목	금	토
		1	2	3	4	5
6	7	8	9	10	11	12
13	14	15	16	17	18	19
20	21	22	23	24	25	26
27	28	29	30	31		

☐ 월

일	월	화	수	목	금	토
	1	2	3	4	5	6
7	8	9	10	11	12	13
14	15	16	17	18	19	20
21	22	23	24	25	26	27
28						

☐ 월

일	월	화	수	목	금	토
				1	2	3
4	5	6	7	8	9	10
11	12	13	14	15	16	17
18	19	20	21	22	23	24
25	26	27	28	29	30	31

☐ 월

일	월	화	수	목	금	토
	1	2	3	4	5	6
7	8	9	10	11	12	13
14	15	16	17	18	19	20
21	22	23	24	25	26	27
28	29	30	31			

☐ 월

일	월	화	수	목	금	토
					1	2
3	4	5	6	7	8	9
10	11	12	13	14	15	16
17	18	19	20	21	22	23
24	25	26	27	28	29	30
31						

☐ 월

일	월	화	수	목	금	토
1	2	3	4	5	6	7
8	9	10	11	12	13	14
15	16	17	18	19	20	21
22	23	24	25	26	27	28
29	30					

memo

형성평가

1 시각을 써 보세요.

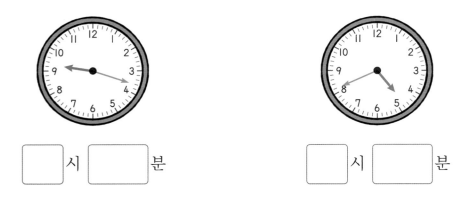

| 시 | 분 |

| 시 | 분 |

2 같은 시각을 나타내는 것끼리 이어 보세요.

5시 50분 •

5시 45분 •

4시 45분 •

• 6시 15분 전

• 6시 10분 전

• 5시 15분 전

3 가장 짧은 시간을 나타내는 것에 ◯표 하세요.

32시간   2일 1시간   1일 10시간

(   )   (   )   (   )

4 승우는 오후 **9**시 **30**분에 잠이 들어 **9**시간 동안 잠을 잤습니다. 알맞은 말에 ○표 하고 빈칸에 알맞은 수를 써넣으세요.

> 승우가 일어난 시각은 (오전 , 오후) ☐ 시 ☐ 분입니다.

※ 어느 해의 **6**월과 **7**월 달력을 보고 물음에 답하세요. (**5~6**)

6월

일	월	화	수	목	금	토
		1	2	3	4	5
6	7	8	9	10	11	12
13	14	15	16	17	18	19
20	21	22	23	24	25	26
27	28	29	30			

7월

일	월	화	수	목	금	토
				1	2	3
4	5	6	7	8	9	10
11	12	13	14	15	16	17
18	19	20	21	22	23	24
26	26	27	28	29	30	31

5 6월 21일에서 3주일 후는 몇 월 며칠 무슨 요일일까요?

(　　　)월 (　　　)일 (　　　)요일

6 7월 11일에서 16일 전은 몇 월 며칠 무슨 요일일까요?

(　　　)월 (　　　)일 (　　　)요일

1 시계를 보고 시각을 두 가지로 나타내어 보세요.

☐ 시 ☐ 분

☐ 시 ☐ 분 전

2 날수가 같은 달끼리 짝 지은 것에 ◯표 하세요.

1월, 9월	3월, 6월	7월, 8월
( )	( )	( )

3 아라는 7시 20분에 숙제를 하기 시작하여 1시간 20분 동안 숙제를 했습니다. 아라가 숙제를 한 시간을 시간 띠에 나타내고 끝난 시각을 구해 보세요.

7시 10분 20분 30분 40분 50분 8시 10분 20분 30분 40분 50분 9시

끝난 시각

☐ 시 ☐ 분

4 전시회를 시작한 시각과 끝난 시각입니다. 전시회를 한 시간은 몇 시간일까요?

(   )시간

5 지안이가 2시간 20분 동안 미술 수업을 하고 시계를 보았더니 4시 55분이었습니다. 지안이가 미술 수업을 시작한 시각은 몇 시 몇 분일까요?

6 12월 19일부터 12월의 마지막 날까지 얼음 축제를 합니다. 얼음 축제를 하는 기간은 며칠일까요?

(   )일

memo

초등 수학 핵심파트 집중 완성

교과특강

초2

B2

시각과 시간

정답

사고력
문제해결력

측정 · 규칙성
자료와 가능성

에듀히어로
Edu HERO

정답

B2
시각과 시간

1주차: 시각 읽기

1일차 몇 시 몇 분 (1)

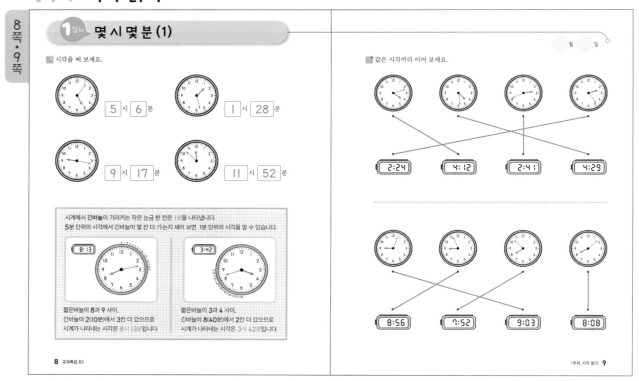

2일차 몇 시 몇 분 (2)

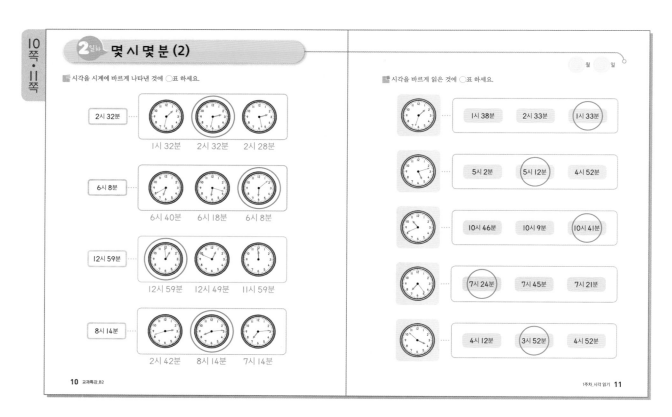

3일차 몇 시 몇 분 전

■ 시계를 보고 빈칸에 알맞은 수를 써넣으세요.

 1시 55분에서 **5** 분이 더 지나면 2시입니다.
1시 55분은 2시 **5** 분 전입니다.

 10시 50분에서 **10** 분이 더 지나면 11시입니다.
10시 50분은 **11** 시 10분 전입니다.

 5시 45분에서 **15** 분이 더 지나면 6시입니다.
5시 45분은 **6** 시 **15** 분 전입니다.

> 1시 55분은 2시 5분 전. 1시 50분은 2시 10분 전. 1시 45분은 2시 15분 전입니다.
>
> 5분 후 ⇄ 5분 전 5분 후 ⇄ 5분 전 5분 후 ⇄ 5분 전

12 교과특강_B2

월   일

■ 시계를 보고 빈칸에 알맞은 수를 써넣으세요.

2시 50분은 3시 **10** 분 전입니다.   6시 55분은 **7** 시 5분 전입니다.

9시 55분은 10시 **5** 분 전입니다.   11시 45분은 **12** 시 15분 전입니다.

3시 45분은 4시 **15** 분 전입니다.   12시 50분은 **1** 시 10분 전입니다.

4일차 시곗바늘 그리기

■ 시각에 맞게 긴바늘을 그려 넣으세요.

1시 21분
4에서 1칸 더 간 곳을
가리키도록 그립니다.

3시 32분
6에서 2칸 더 간 곳을
가리키도록 그립니다.

6시 14분
2에서 4칸 더 간 곳을
가리키도록 그립니다.

9시 22분
4에서 2칸 더 간 곳을
가리키도록 그립니다.

5시 57분
11에서 2칸 더 간 곳을
가리키도록 그립니다.

10시 4분
12에서 4칸 더 간 곳을
가리키도록 그립니다.

8:42
8에서 2칸 더 간 곳을
가리키도록 그립니다.

11:07
1에서 2칸 더 간 곳을
가리키도록 그립니다.

4:51
10에서 1칸 더 간 곳을
가리키도록 그립니다.

14 교과특강_B2

월   일

■ 시각에 맞게 긴바늘을 그려 넣으세요.

3시 5분 전
11을 가리키도록
그립니다.

10시 10분 전
10을 가리키도록
그립니다.

4시 15분 전
9를 가리키도록
그립니다.

9시 15분 전
9를 가리키도록
그립니다.

1시 5분 전
11을 가리키도록
그립니다.

8시 10분 전
10을 가리키도록
그립니다.

6시 10분 전
10을 가리키도록
그립니다.

11시 15분 전
9를 가리키도록
그립니다.

5시 5분 전
11을 가리키도록
그립니다.

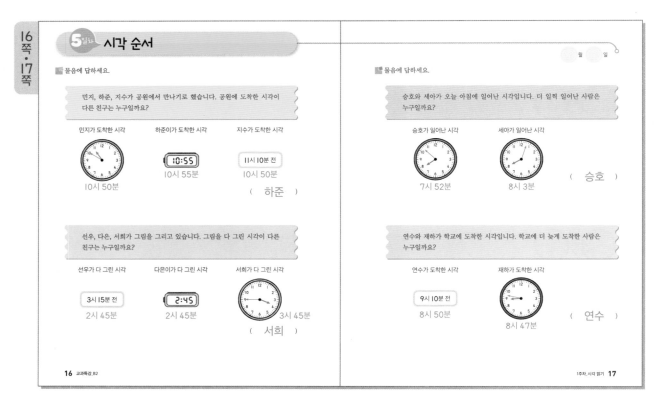

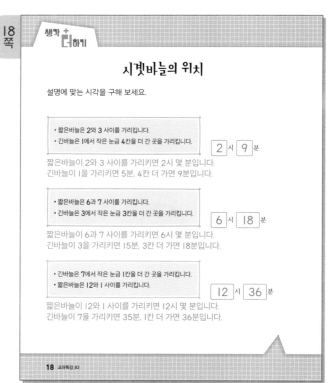

2주차: 1시간

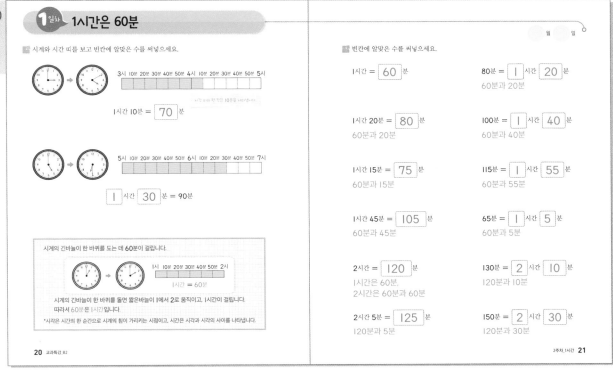

1일차 1시간은 60분

■ 시계와 시간 띠를 보고 빈칸에 알맞은 수를 써넣으세요.

3시 10분 20분 30분 40분 50분 4시 10분 20분 30분 40분 50분 5시

1시간 10분 = 70 분

5시 10분 20분 30분 40분 50분 6시 10분 20분 30분 40분 50분 7시

1 시간 30 분 = 90분

시계의 긴바늘이 한 바퀴를 도는 데 60분이 걸립니다.

1시 10분 20분 30분 40분 50분 2시

1시간 = 60분

시계의 긴바늘이 한 바퀴를 돌면 짧은바늘이 1에서 2로 움직이고, 1시간이 걸립니다.
따라서 60분은 1시간입니다.
*시각은 시간의 한 순간으로 시계의 침이 가리키는 시점이고, 시간은 시각과 시각의 사이를 나타냅니다.

■ 빈칸에 알맞은 수를 써넣으세요.

1시간 = 60 분

80분 = 1 시간 20 분
60분과 20분

1시간 20분 = 80 분
60분과 20분

100분 = 1 시간 40 분
60분과 40분

1시간 15분 = 75 분
60분과 15분

115분 = 1 시간 55 분
60분과 55분

1시간 45분 = 105 분
60분과 45분

65분 = 1 시간 5 분
60분과 5분

2시간 = 120 분
1시간은 60분,
2시간은 60분과 60분

130분 = 2 시간 10 분
120분과 10분

2시간 5분 = 125 분
120분과 5분

150분 = 2 시간 30 분
120분과 30분

20 교과특강_B2

2주차_1시간 21

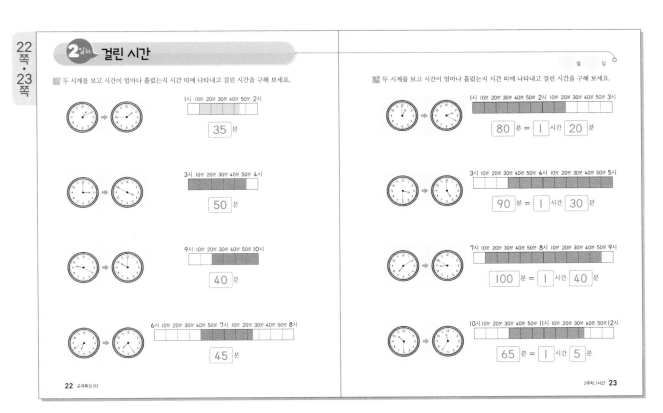

2일차 걸린 시간

■ 두 시계를 보고 시간이 얼마나 흘렀는지 시간 띠에 나타내고 걸린 시간을 구해 보세요.

1시 10분 20분 30분 40분 50분 2시

35 분

3시 10분 20분 30분 40분 50분 4시

50 분

9시 10분 20분 30분 40분 50분 10시

40 분

6시 10분 20분 30분 40분 50분 7시 10분 20분 30분 40분 50분 8시

45 분

■ 두 시계를 보고 시간이 얼마나 흘렀는지 시간 띠에 나타내고 걸린 시간을 구해 보세요.

1시 10분 20분 30분 40분 50분 2시 10분 20분 30분 40분 50분 3시

80 분 = 1 시간 20 분

3시 10분 20분 30분 40분 50분 4시 10분 20분 30분 40분 50분 5시

90 분 = 1 시간 30 분

7시 10분 20분 30분 40분 50분 8시 10분 20분 30분 40분 50분 9시

100 분 = 1 시간 40 분

10시 10분 20분 30분 40분 50분 11시 10분 20분 30분 40분 50분 12시

65 분 = 1 시간 5 분

22 교과특강_B2

2주차_1시간 23

정답

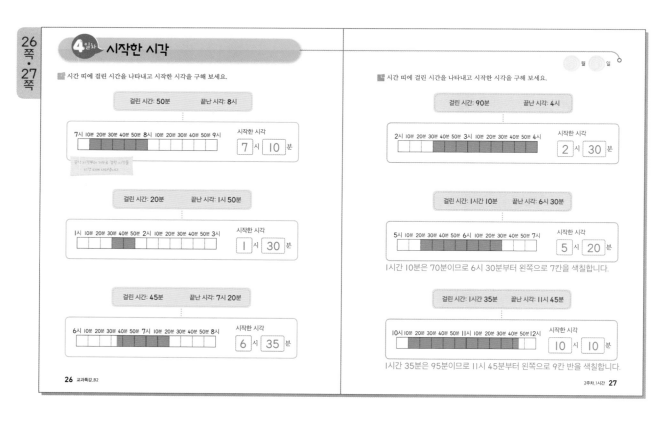

3일차 끝난 시각

24쪽·25쪽

■ 시간 띠에 걸린 시간을 나타내고 끝난 시각을 구해 보세요.

시작한 시각: 7시 10분 | 걸린 시간: 30분

7시 10분 20분 30분 40분 50분 8시 10분 20분 30분 40분 50분 9시
끝난 시각 **7**시 **40**분

시작한 시각: 12시 15분 | 걸린 시간: 35분

12시 10분 20분 30분 40분 50분 1시 10분 20분 30분 40분 50분 2시
끝난 시각 **12**시 **50**분

시작한 시각: 2시 30분 | 걸린 시간: 50분

2시 10분 20분 30분 40분 50분 3시 10분 20분 30분 40분 50분 4시
끝난 시각 **3**시 **20**분

24 교과특강_B2

■ 시간 띠에 걸린 시간을 나타내고 끝난 시각을 구해 보세요.

시작한 시각: 3시 | 걸린 시간: 80분

3시 10분 20분 30분 40분 50분 4시 10분 20분 30분 40분 50분 5시
끝난 시각 **4**시 **20**분

시작한 시각: 9시 10분 | 걸린 시간: 1시간 30분

9시 10분 20분 30분 40분 50분 10시 10분 20분 30분 40분 50분 11시
끝난 시각 **10**시 **40**분

1시간 30분은 90분이므로 9시 10분부터 9칸을 색칠합니다.

시작한 시각: 6시 40분 | 걸린 시간: 1시간 15분

6시 10분 20분 30분 40분 50분 7시 10분 20분 30분 40분 50분 8시
끝난 시각 **7**시 **55**분

1시간 15분은 75분이므로 6시 40분부터 7칸 반을 색칠합니다.

2주차_1시간 25

4일차 시작한 시각

26쪽·27쪽

■ 시간 띠에 걸린 시간을 나타내고 시작한 시각을 구해 보세요.

걸린 시간: 50분 | 끝난 시각: 8시

7시 10분 20분 30분 40분 50분 8시 10분 20분 30분 40분 50분 9시
시작한 시각 **7**시 **10**분

끝난 시각부터 거꾸로 칠한 시각을 시작 시각에 나타냅니다.

걸린 시간: 20분 | 끝난 시각: 1시 50분

1시 10분 20분 30분 40분 50분 2시 10분 20분 30분 40분 50분 3시
시작한 시각 **1**시 **30**분

걸린 시간: 45분 | 끝난 시각: 7시 20분

6시 10분 20분 30분 40분 50분 7시 10분 20분 30분 40분 50분 8시
시작한 시각 **6**시 **35**분

26 교과특강_B2

■ 시간 띠에 걸린 시간을 나타내고 시작한 시각을 구해 보세요.

걸린 시간: 90분 | 끝난 시각: 4시

2시 10분 20분 30분 40분 50분 3시 10분 20분 30분 40분 50분 4시
시작한 시각 **2**시 **30**분

걸린 시간: 1시간 10분 | 끝난 시각: 6시 30분

5시 10분 20분 30분 40분 50분 6시 10분 20분 30분 40분 50분 7시
시작한 시각 **5**시 **20**분

1시간 10분은 70분이므로 6시 30분부터 왼쪽으로 7칸을 색칠합니다.

걸린 시간: 1시간 35분 | 끝난 시각: 11시 45분

10시 10분 20분 30분 40분 50분 11시 10분 20분 30분 40분 50분 12시
시작한 시각 **10**시 **10**분

1시간 35분은 95분이므로 11시 45분부터 왼쪽으로 9칸 반을 색칠합니다.

2주차_1시간 27

5일차 시각과 시간 구하기

■ 물음에 답하세요.

재하는 4시 20분부터 1시간 30분 동안 기차를 타고 이동했습니다. 기차가 도착한 시각은 몇 시 몇 분일까요?

출발한 시각

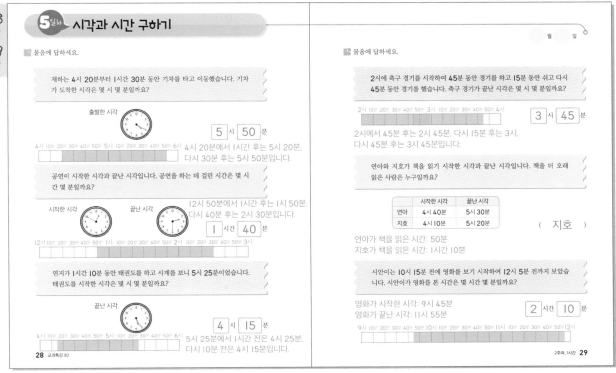

5 시 **50** 분

4시 20분에서 1시간 후는 5시 20분,
다시 30분 후는 5시 50분입니다.

공연이 시작한 시각과 끝난 시각입니다. 공연을 하는 데 걸린 시간은 몇 시간 몇 분일까요?

시작한 시각   끝난 시각

12시 50분에서 1시간 후는 1시 50분,
다시 40분 후는 2시 30분입니다.

1 시간 **40** 분

연지가 1시간 10분 동안 태권도를 하고 시계를 보니 5시 25분이었습니다. 태권도를 시작한 시각은 몇 시 몇 분일까요?

끝난 시각

4 시 **15** 분

5시 25분에서 1시간 전은 4시 25분,
다시 10분 전은 4시 15분입니다.

28 교과특강_B2

■ 물음에 답하세요.

2시에 축구 경기를 시작하여 45분 동안 경기를 하고 15분 동안 쉬고 다시 45분 동안 경기를 했습니다. 축구 경기가 끝난 시각은 몇 시 몇 분일까요?

3 시 **45** 분

2시에서 45분 후는 2시 45분, 다시 15분 후는 3시,
다시 45분 후는 3시 45분입니다.

연아와 지호가 책을 읽기 시작한 시각과 끝난 시각입니다. 책을 더 오래 읽은 사람은 누구일까요?

	시작한 시각	끝난 시각
연아	4시 40분	5시 30분
지호	4시 10분	5시 20분

(지호)

연아가 책을 읽은 시간: 50분
지호가 책을 읽은 시간: 1시간 10분

시안이는 10시 15분 전에 영화를 보기 시작하여 12시 5분 전까지 보았습니다. 시안이가 영화를 본 시간은 몇 시간 몇 분일까요?

영화가 시작한 시각: 9시 45분
영화가 끝난 시각: 11시 55분

2 시간 **10** 분

생각 더하기

시각과 시간

영재가 쓴 일기입니다. '시' 또는 '시간' 중 알맞은 말에 ○표 하세요.

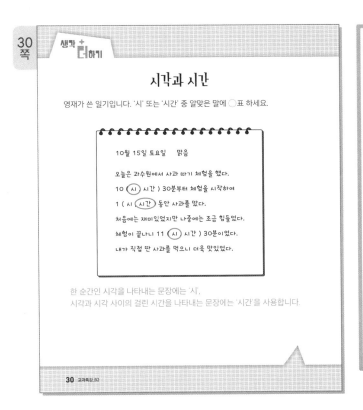

10월 15일 토요일   맑음

오늘은 과수원에서 사과 따기 체험을 했다.
10 (시)시간 30분부터 체험을 시작하여
1 (시 / 시간) 동안 사과를 땄다.
처음에는 재미있었지만 나중에는 조금 힘들었다.
체험이 끝나니 11 (시)시간 30분이었다.
내가 직접 딴 사과를 먹으니 더욱 맛있었다.

한 순간인 시각을 나타내는 문장에는 '시',
시각과 시각 사이의 걸린 시간을 나타내는 문장에는 '시간'을 사용합니다.

30 교과특강_B2

┃ 시각과 시간 ┃

시각은 시간의 한 순간으로 시계의 침이 가리키는 시점인 위치 개념이고, 시간은 시각과 시각 사이를 나타내는 양적 개념입니다.

1시와 1시 30분은 시각이고, 1시와 1시 30분 사이의 30분은 시간입니다.

1시와 2시 40분은 시각이고, 1시와 2시 40분 사이의 1시간 40분은 시간입니다.

시간을 나타낼 때는 '시' 대신 '시간'으로 쓰고, '분'은 똑같이 '분'이라고 씁니다.

한 시점을 나타내는 '출발 시각', '도착 시각' 등은 시각으로 표현하고, 양을 나타내는 '걸린 시간' 등은 시간으로 표현합니다.

정답

3주차: 하루의 시간

1일차 1일은 24시간

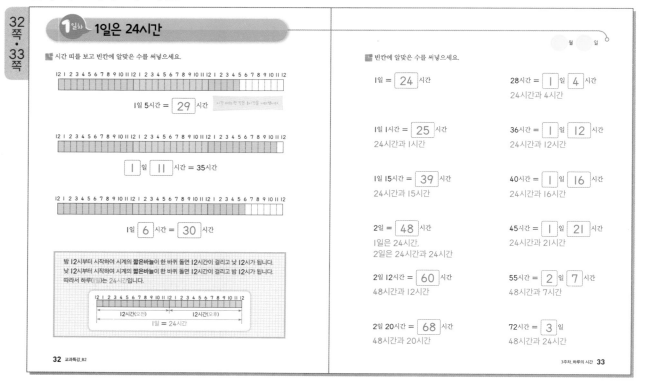

■ 시간 띠를 보고 빈칸에 알맞은 수를 써넣으세요.

1일 5시간 = 29 시간

1 일 11 시간 = 35시간

1일 6 시간 = 30 시간

밤 12시부터 시작하여 시계의 짧은바늘이 한 바퀴 돌면 12시간이 걸리고 낮 12시가 됩니다. 낮 12시부터 시작하여 시계의 짧은바늘이 한 바퀴 돌면 12시간이 걸리고 밤 12시가 됩니다. 따라서 하루(일)는 24시간입니다.

12시간(오전) 12시간(오후)
1일 = 24시간

■ 빈칸에 알맞은 수를 써넣으세요.

1일 = 24 시간

1일 1시간 = 25 시간
24시간과 1시간

1일 15시간 = 39 시간
24시간과 15시간

2일 = 48 시간
1일은 24시간, 2일은 24시간과 24시간

2일 12시간 = 60 시간
48시간과 12시간

2일 20시간 = 68 시간
48시간과 20시간

28시간 = 1 일 4 시간
24시간과 4시간

36시간 = 1 일 12 시간
24시간과 12시간

40시간 = 1 일 16 시간
24시간과 16시간

45시간 = 1 일 21 시간
24시간과 21시간

55시간 = 2 일 7 시간
48시간과 7시간

72시간 = 3 일
48시간과 24시간

2일차 오전과 오후

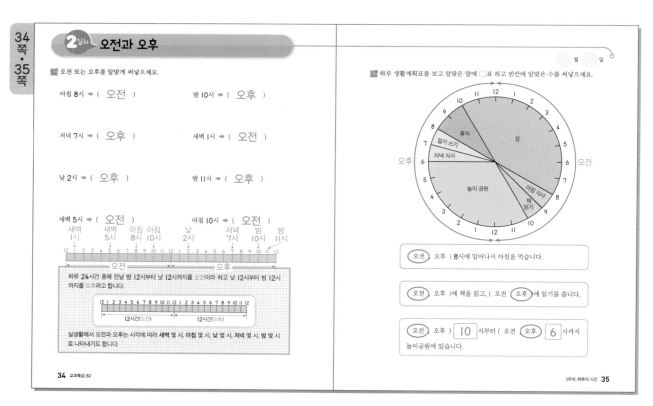

■ 오전 또는 오후를 알맞게 써넣으세요.

아침 8시 ➡ (오전)

저녁 7시 ➡ (오후)

낮 2시 ➡ (오후)

새벽 5시 ➡ (오전)

밤 10시 ➡ (오후)

새벽 1시 ➡ (오전)

밤 11시 ➡ (오후)

아침 10시 ➡ (오전)

새벽 1시 새벽 5시 아침 8시 아침 10시 낮 2시 저녁 7시 밤 10시 밤 11시

오전 오후

하루 24시간 중에 전날 밤 12시부터 낮 12시까지를 오전이라 하고 낮 12시부터 밤 12시 까지를 오후라고 합니다.

12시간(오전) 12시간(오후)

실생활에서 오전과 오후는 시각에 따라 새벽 몇 시, 아침 몇 시, 낮 몇 시, 저녁 몇 시, 밤 몇 시로 나타내기도 합니다.

■ 하루 생활계획표를 보고 알맞은 말에 ◯표 하고 빈칸에 알맞은 수를 써넣으세요.

(오전)오후) 8시에 일어나서 아침을 먹습니다.

(오전 오후)에 책을 읽고, (오전 오후)에 일기를 씁니다.

(오전 오후) 10 시부터 (오전 오후) 6 시까지 놀이공원에 있습니다.

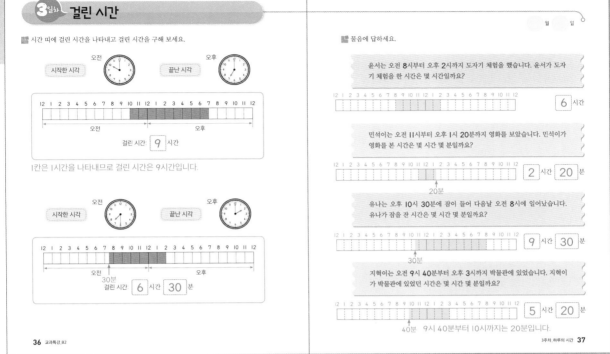

3일차 걸린 시간

시간 띠에 걸린 시간을 나타내고 걸린 시간을 구해 보세요.

오전 시작한 시각 끝난 시각 오후

걸린 시간: 9 시간

1칸은 1시간을 나타내므로 걸린 시간은 9시간입니다.

오전 시작한 시각 끝난 시각 오후

30분
걸린 시간: 6 시간 30 분

36 교과특강_B2

물음에 답하세요.

윤서는 오전 8시부터 오후 2시까지 도자기 체험을 했습니다. 윤서가 도자기 체험을 한 시간은 몇 시간일까요?

6 시간

민석이는 오전 11시부터 오후 1시 20분까지 영화를 보았습니다. 민석이가 영화를 본 시간은 몇 시간 몇 분일까요?

20분

2 시간 20 분

유나는 오후 10시 30분에 잠이 들어 다음날 오전 8시에 일어났습니다. 유나가 잠을 잔 시간은 몇 시간 몇 분일까요?

30분

9 시간 30 분

지혁이는 오전 9시 40분부터 오후 3시까지 박물관에 있었습니다. 지혁이가 박물관에 있었던 시간은 몇 시간 몇 분일까요?

40분 9시 40분부터 10시까지는 20분입니다.

5 시간 20 분

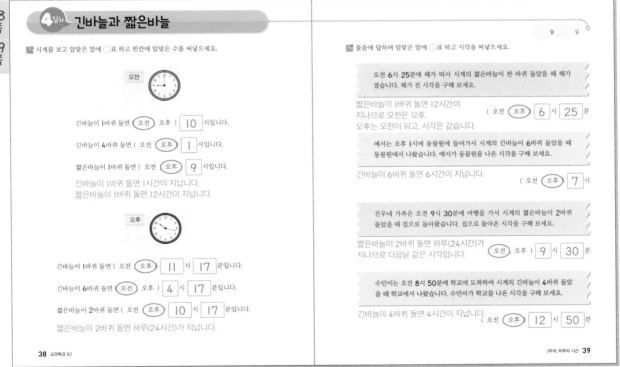

4일차 긴바늘과 짧은바늘

시계를 보고 알맞은 말에 ○표 하고 빈칸에 알맞은 수를 써넣으세요.

오전

긴바늘이 1바퀴 돌면 (오전 오후) 10 시입니다.

긴바늘이 4바퀴 돌면 (오전 오후) 1 시입니다.

짧은바늘이 1바퀴 돌면 (오전 오후) 9 시입니다.

긴바늘이 1바퀴 돌면 1시간이 지납니다.
짧은바늘이 1바퀴 돌면 12시간이 지납니다.

오후

긴바늘이 1바퀴 돌면 (오전 오후) 11 시 17 분입니다.

긴바늘이 6바퀴 돌면 (오전 오후) 4 시 17 분입니다.

짧은바늘이 2바퀴 돌면 (오전 오후) 10 시 17 분입니다.

짧은바늘이 2바퀴 돌면 하루(24시간)가 지납니다.

38 교과특강_B2

물음에 답하여 알맞은 말에 ○표 하고 시각을 써넣으세요.

오전 6시 25분에 해가 떠서 시계의 짧은바늘이 한 바퀴 돌았을 때 해가 졌습니다. 해가 진 시각을 구해 보세요.

짧은바늘이 1바퀴 돌면 12시간이
지나므로 오전은 오후, (오전 오후) 6 시 25 분
오후는 오전이 되고, 시각은 같습니다.

예서는 오후 1시에 동물원에 들어가서 시계의 긴바늘이 6바퀴 돌았을 때 동물원에서 나왔습니다. 예서가 동물원을 나온 시각을 구해 보세요.

긴바늘이 6바퀴 돌면 6시간이 지납니다. (오전 오후) 7 시

진우네 가족은 오전 9시 30분에 여행을 가서 시계의 짧은바늘이 2바퀴 돌았을 때 집으로 돌아왔습니다. 집으로 돌아온 시각을 구해 보세요.

짧은바늘이 2바퀴 돌면 하루(24시간)가
지나므로 다음날 같은 시각입니다. (오전 오후) 9 시 30 분

수민이는 오전 8시 50분에 학교에 도착하여 시계의 긴바늘이 4바퀴 돌았을 때 학교에서 나왔습니다. 수민이가 학교를 나온 시각을 구해 보세요.

긴바늘이 4바퀴 돌면 4시간이 지납니다. (오전 오후) 12 시 50 분

5일차 일정표

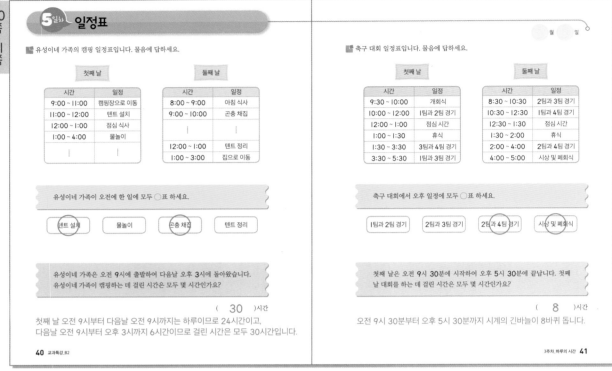

■ 유성이네 가족의 캠핑 일정표입니다. 물음에 답하세요.

첫째 날

시간	일정
9:00 ~ 11:00	캠핑장으로 이동
11:00 ~ 12:00	텐트 설치
12:00 ~ 1:00	점심 식사
1:00 ~ 4:00	물놀이
⋮	⋮

둘째 날

시간	일정
8:00 ~ 9:00	아침 식사
9:00 ~ 10:00	곤충 채집
⋮	⋮
12:00 ~ 1:00	텐트 정리
1:00 ~ 3:00	집으로 이동

유성이네 가족이 오전에 한 일에 모두 ○표 하세요.

(텐트 설치) (물놀이) (곤충 채집) (텐트 정리)

유성이네 가족은 오전 9시에 출발하여 다음날 오후 3시에 돌아왔습니다. 유성이네 가족이 캠핑하는 데 걸린 시간은 모두 몇 시간인가요?

(30)시간

첫째 날 오전 9시부터 다음날 오전 9시까지는 하루이므로 24시간이고, 다음날 오전 9시부터 오후 3시까지 6시간이므로 걸린 시간은 모두 30시간입니다.

■ 축구 대회 일정표입니다. 물음에 답하세요.

월 일

첫째 날

시간	일정
9:30 ~ 10:00	개회식
10:00 ~ 12:00	1팀과 2팀 경기
12:00 ~ 1:00	점심 시간
1:00 ~ 1:30	휴식
1:30 ~ 3:30	3팀과 4팀 경기
3:30 ~ 5:30	1팀과 3팀 경기

둘째 날

시간	일정
8:30 ~ 10:30	2팀과 3팀 경기
10:30 ~ 12:30	1팀과 4팀 경기
12:30 ~ 1:30	점심 시간
1:30 ~ 2:00	휴식
2:00 ~ 4:00	2팀과 4팀 경기
4:00 ~ 5:00	시상 및 폐회식

축구 대회에서 오후 일정에 모두 ○표 하세요.

(1팀과 2팀 경기) (2팀과 3팀 경기) (2팀과 4팀 경기) (시상 및 폐회식)

첫째 날은 오전 9시 30분에 시작하여 오후 5시 30분에 끝납니다. 첫째 날 대회를 하는 데 걸린 시간은 모두 몇 시간인가요?

(8)시간

오전 9시 30분부터 오후 5시 30분까지 시계의 긴바늘이 8바퀴 돕니다.

생각 더하기

파리의 시각

프랑스 파리의 시각은 한국 서울의 시각보다 8시간 느립니다. 서울이 오후 3시일 때 파리는 몇 시인지 알맞은 말에 ○표 하고 빈칸에 알맞은 수를 써넣으세요.

파리의 시각 : (오전) 오후) 7 시

오후 3시에서 긴바늘을 거꾸로 8바퀴 돌리면 오전 7시입니다.

4주차: 달력

1일차 1년 달력

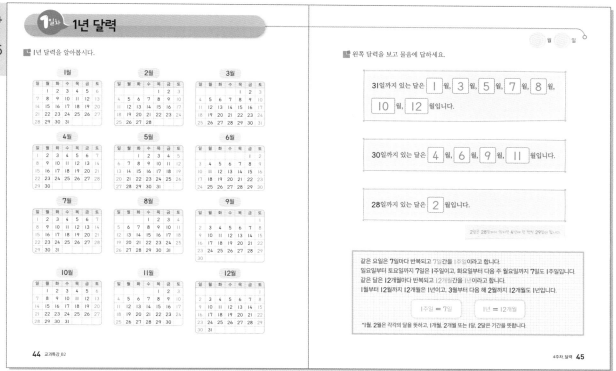

■ 1년 달력을 알아봅시다.

■ 왼쪽 달력을 보고 물음에 답하세요.

31일까지 있는 달은 $\boxed{1}$ 월, $\boxed{3}$ 월, $\boxed{5}$ 월, $\boxed{7}$ 월, $\boxed{8}$ 월, $\boxed{10}$ 월, $\boxed{12}$ 월입니다.

30일까지 있는 달은 $\boxed{4}$ 월, $\boxed{6}$ 월, $\boxed{9}$ 월, $\boxed{11}$ 월입니다.

28일까지 있는 달은 $\boxed{2}$ 월입니다.

2월은 28일까지 있다가 4년에 한 번씩 29일이 됩니다.

같은 요일은 7일마다 반복되고 7일간을 1주일이라고 합니다.
일요일부터 토요일까지 7일은 1주일이고, 화요일부터 다음 주 월요일까지 7일도 1주일입니다.
같은 달은 12개월마다 반복되고 12개월간을 1년이라고 합니다.
1월부터 12월까지 12개월은 1년이고, 3월부터 다음 해 2월까지 12개월도 1년입니다.

1주일 = 7일   1년 = 12개월

*1월, 2월은 각각의 달을 뜻하고, 1개월, 2개월 또는 1일, 2일은 기간을 뜻합니다.

44 교과특강_B2

4주차·달력 45

2일차 1주일, 1개월, 1년

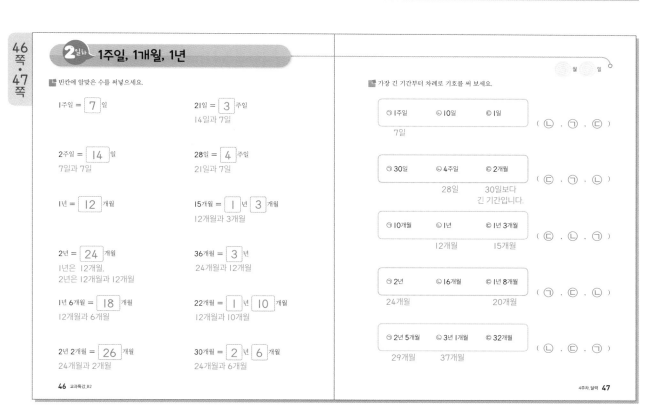

■ 빈칸에 알맞은 수를 써넣으세요.

1주일 = $\boxed{7}$ 일

21일 = $\boxed{3}$ 주일
14일과 7일

2주일 = $\boxed{14}$ 일
7일과 7일

28일 = $\boxed{4}$ 주일
21일과 7일

1년 = $\boxed{12}$ 개월

15개월 = $\boxed{1}$ 년 $\boxed{3}$ 개월
12개월과 3개월

2년 = $\boxed{24}$ 개월
1년은 12개월,
2년은 12개월과 12개월

36개월 = $\boxed{3}$ 년
24개월과 12개월

1년 6개월 = $\boxed{18}$ 개월
12개월과 6개월

22개월 = $\boxed{1}$ 년 $\boxed{10}$ 개월
12개월과 10개월

2년 2개월 = $\boxed{26}$ 개월
24개월과 2개월

30개월 = $\boxed{2}$ 년 $\boxed{6}$ 개월
24개월과 6개월

■ 가장 긴 기간부터 차례로 기호를 써 보세요

㉠ 1주일   ㉡ 10일   ㉢ 1일
7일
(㉡ . ㉠ . ㉢)

㉠ 30일   ㉡ 4주일   ㉢ 2개월
28일   30일보다 긴 기간입니다.
(㉢ . ㉠ . ㉡)

㉠ 10개월   ㉡ 1년   ㉢ 1년 3개월
12개월   15개월
(㉢ . ㉡ . ㉠)

㉠ 2년   ㉡ 16개월   ㉢ 1년 8개월
24개월   20개월
(㉠ . ㉢ . ㉡)

㉠ 2년 5개월   ㉡ 3년 1개월   ㉢ 32개월
29개월   37개월
(㉡ . ㉢ . ㉠)

46 교과특강_B2

4주차·달력 47

3일차 지워진 달력

48쪽·49쪽

■ 어느 해의 4월 달력입니다. 달력을 보고 물음에 답하세요.

4월	일	월	화	수	목	금	토
						1	2	3
	4	5	6	7	8	9	10
	11	12	13	14	15	16	17
	18	19	20	21	22	23	24
	25	26	27	28	29	30	

4월의 마지막 날은 윤서의 생일입니다. 윤서의 생일은 무슨 요일인가요?

4월은 30일까지 있습니다. (금)요일

4월에 화요일은 모두 몇 번 있나요?

(4)번

우준이는 4월의 매주 토요일에 등산을 하기로 했습니다. 우준이가 4월에 등산을 하는 날짜를 모두 써 보세요.

(3)일, (10)일, (17)일, (24)일

48 교과특강_B2

■ 어느 해의 1월 달력입니다. 달력을 보고 물음에 답하세요.

1월	일	월	화	수	목	금	토
		1	2	3	4	5	6
	7	8	9	10	11	12	13
	14	15	16	17	18	19	20
	21	22	23	24	25	26	27
	28	29	30	31			

1월의 마지막 날은 무슨 요일인가요?

1월은 31일까지 있습니다. (수)요일

1월의 목요일인 날짜를 모두 써 보세요.

(4)일, (11)일, (18)일, (25)일

치우는 1월의 매주 수요일과 토요일에 피아노 학원을 갑니다. 치우는 1월에 피아노 학원을 모두 몇 번 가나요?

(9)번

4주차_달력 49

4일차 며칠 전과 후

50쪽·51쪽

■ 어느 해의 11월과 12월 달력입니다. 달력을 보고 물음에 답하세요.

11월 6일에서 10일 후는 몇 월 며칠 무슨 요일인가요?

(11)월 (16)일 (월)요일

1주일은 7일이므로 7씩 뛰어 세면서 날짜를 찾습니다.
7일 후는 13일, 13일에서 3일 후는 16일입니다.

11월 18일에서 2주일 후는 몇 월 며칠 무슨 요일인가요?

(12)월 (2)일 (수)요일

11월 30일의 다음날은 12월 1일이므로 11월 달력의 30일 바로 오른쪽 칸에 차례로 1, 2를 써넣어 보면 2주일 후는 12월 2일입니다.

11월 23일에서 20일 후는 몇 월 며칠 무슨 요일인가요?

(12)월 (13)일 (일)요일

11월 23일에서 7일 후는 11월 30일, 14일 후는 12월 7일이고,
12월 7일에서 6일 후는 12월 13일입니다.

50 교과특강_B2

■ 어느 해의 7월과 8월 달력입니다. 달력을 보고 물음에 답하세요.

8월 3일에서 5일 전은 몇 월 며칠 무슨 요일인가요?

(7)월 (29)일 (월)요일

8월 1일에서 1주일 전은 몇 월 며칠 무슨 요일인가요?

(7)월 (25)일 (목)요일

7월 31일은 8월 1일의 전날이므로 7월 달력의 31일 바로 오른쪽 칸에 1을 써넣어 보면 1주일 전은 7월 25일입니다.

8월 7일에서 15일 전은 몇 월 며칠 무슨 요일인가요?

(7)월 (23)일 (화)요일

1주일은 7일이므로 7씩 뛰어 세면서 날짜를 찾습니다.
7일 전은 7월 31일, 14일 전은 7월 24일, 24일에서 1일 전은 23일입니다.

4주차_달력 51

5일차 기간 구하기

■ 어느 해의 2월과 3월 달력입니다. 달력을 보고 물음에 답하세요.

2월

일	월	화	수	목	금	토
					1	2	3
4	5	6	7	8	9	10
11	12	13	14	15	16	17
18	19	20	21	22	23	24
25	26	27	28			

3월

일	월	화	수	목	금	토
					1	2	3
4	5	6	7	8	9	10
11	12	13	14	15	16	17
18	19	20	21	22	23	24
25	26	27	28	29	30	31

2월 1일부터 2월 10일까지 별빛 축제를 합니다. 별빛 축제를 하는 기간은 며칠인가요?

1주일은 7일이므로 7일씩 기간을 셉니다.
달력을 보면 2월 1일부터 2월 10일까지는 10일입니다.　　(10)일
*10-1=9(일)로 계산하지 않도록 주의합니다.

3월 18일부터 3월 31일까지 전시회를 합니다. 전시회를 하는 기간은 며칠인가요?

(14)일

세아는 2월 26일부터 3월 5일까지 매일 봉사활동을 하기로 했습니다. 세아가 봉사활동을 하는 기간은 며칠인가요?

2월에 3일, 3월에 5일로 모두 8일입니다.　　(8)일

52 교과특강_B2

■ 물음에 답하세요.

1월 1일부터 1월 8일까지 새해 축제를 합니다. 새해 축제를 하는 기간은 며칠일까요?

1	2	3	4	5	6	7
8						

(8)일

과학관에서 5월 5일부터 5월 15일까지 로봇 체험을 합니다. 로봇 체험을 하는 기간은 며칠일까요?

5	6	7	8	9	10	11
12	13	14	15			

(11)일

9월 14일부터 9월의 마지막 날까지 음악회를 합니다. 음악회를 하는 기간은 며칠일까요?

14	15	16	17	18	19	20
21	22	23	24	25	26	27
28	29	30				

(17)일

8월 30일부터 9월 10일까지 수영 대회를 합니다. 수영 대회를 하는 기간은 며칠일까요?

30	31	1	2	3	4	5
6	7	8	9	10		

(12)일

4주차 달력 53

생각 + 더하기

찢어진 달력

어느 해 5월 달력의 아랫부분이 찢어졌습니다. 5월 20일에서 2주일 후는 영우의 생일입니다. 영우의 생일은 몇 월 며칠 무슨 요일일까요?

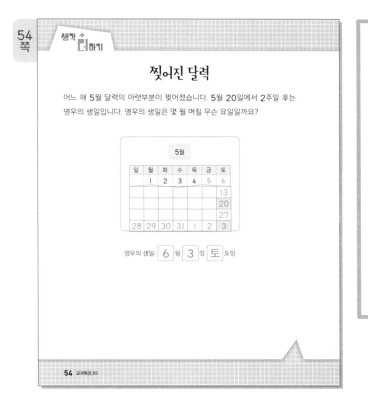

5월

일	월	화	수	목	금	토
	1	2	3	4	5	6
						13
						20
						27
28	29	30	31	1	2	3

영우의 생일: 6 월 3 일 土 요일

54 교과특강_B2

월, 개월, 달

1월, 2월과 같은 '몇 월'은 각각의 달을 뜻하고, 1개월, 2개월 또는 1달, 2달과 같은 '몇 개월', '몇 달'은 일정한 기간을 뜻합니다.

1월부터 12월까지 12개월을 1년이라 하고 5월부터 다음 해 4월까지의 12개월도 1년이라고 합니다. 시작하는 달이 무엇이든지 12달을 지나는 시간을 1년이라고 합니다.

1년, 2년과 1개월, 2개월은 일 년, 이 년, 일 개월, 이 개월로 읽지만 1달, 2달은 한 달, 두 달로 읽습니다.

정답

링크: 연속된 달력

56쪽·57쪽

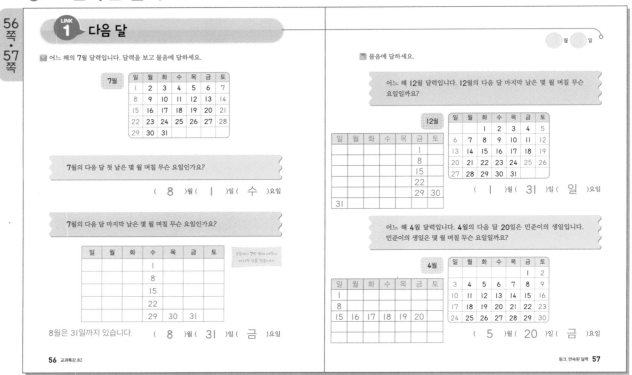

LINK 1 다음 달

어느 해의 7월 달력입니다. 달력을 보고 물음에 답하세요.

7월

일	월	화	수	목	금	토
1	2	3	4	5	6	7
8	9	10	11	12	13	14
15	16	17	18	19	20	21
22	23	24	25	26	27	28
29	30	31				

7월의 다음 달 첫 날은 몇 월 며칠 무슨 요일인가요?

(8)월 (1)일 (수)요일

7월의 다음 달 마지막 날은 몇 월 며칠 무슨 요일인가요?

일	월	화	수	목	금	토
			1			
			8			
			15			
			22			
			29	30	31	

8월은 31일까지 있습니다. (8)월 (31)일 (금)요일

물음에 답하세요.

어느 해 12월 달력입니다. 12월의 다음 달 마지막 날은 몇 월 며칠 무슨 요일일까요?

12월

일	월	화	수	목	금	토
						1
						8
						15
						22
					29	30
31						

일	월	화	수	목	금	토
		1	2	3	4	5
6	7	8	9	10	11	12
13	14	15	16	17	18	19
20	21	22	23	24	25	26
27	28	29	30	31		

(1)월 (31)일 (일)요일

어느 해 4월 달력입니다. 4월의 다음 달 20일은 민준이의 생일입니다. 민준이의 생일은 몇 월 며칠 무슨 요일일까요?

4월

일	월	화	수	목	금	토
1						
8						
15	16	17	18	19	20	

일	월	화	수	목	금	토
					1	2
3	4	5	6	7	8	9
10	11	12	13	14	15	16
17	18	19	20	21	22	23
24	25	26	27	28	29	30

(5)월 (20)일 (금)요일

58쪽·59쪽

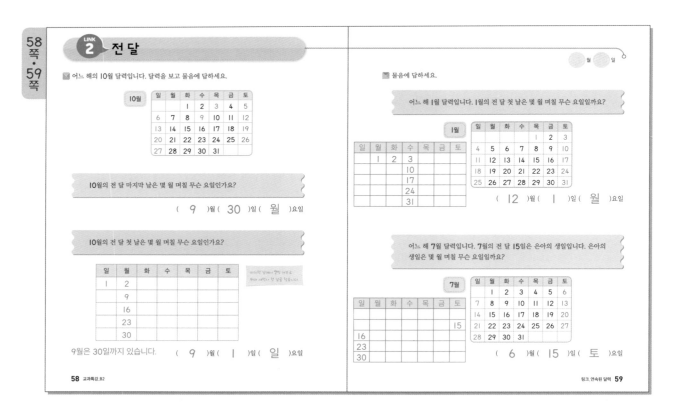

LINK 2 전 달

어느 해의 10월 달력입니다. 달력을 보고 물음에 답하세요.

10월

일	월	화	수	목	금	토
		1	2	3	4	5
6	7	8	9	10	11	12
13	14	15	16	17	18	19
20	21	22	23	24	25	26
27	28	29	30	31		

10월의 전 달 마지막 날은 몇 월 며칠 무슨 요일인가요?

(9)월 (30)일 (월)요일

10월의 전 달 첫 날은 몇 월 며칠 무슨 요일인가요?

일	월	화	수	목	금	토
1	2					
	9					
	16					
	23					
	30					

9월은 30일까지 있습니다. (9)월 (1)일 (일)요일

물음에 답하세요.

어느 해 1월 달력입니다. 1월의 전 달 첫 날은 몇 월 며칠 무슨 요일일까요?

1월

일	월	화	수	목	금	토
		1	2	3		
		10				
		17				
		24				
		31				

일	월	화	수	목	금	토
				1	2	3
4	5	6	7	8	9	10
11	12	13	14	15	16	17
18	19	20	21	22	23	24
25	26	27	28	29	30	31

(12)월 (1)일 (월)요일

어느 해 7월 달력입니다. 7월의 전 달 15일은 은아의 생일입니다. 은아의 생일은 몇 월 며칠 무슨 요일일까요?

7월

일	월	화	수	목	금	토
						15
16						
23						
30						

일	월	화	수	목	금	토
		1	2	3	4	5	6
7	8	9	10	11	12	13
14	15	16	17	18	19	20
21	22	23	24	25	26	27
28	29	30	31			

(6)월 (15)일 (토)요일

LINK 3 달력 배열하기

어느 해 1월부터 6월까지의 달력이 섞여 있습니다. 각 달의 달력을 찾아 빈칸에 알맞은 수를 써넣으세요.

3월

일	월	화	수	목	금	토
					1	2	3
4	5	6	7	8	9	10
11	12	13	14	15	16	17
18	19	20	21	22	23	24
25	26	27	28	29	30	31

6월

일	월	화	수	목	금	토
					1	2
3	4	5	6	7	8	9
10	11	12	13	14	15	16
17	18	19	20	21	22	23
24	25	26	27	28	29	30

2월

일	월	화	수	목	금	토
					1	2	3
4	5	6	7	8	9	10
11	12	13	14	15	16	17
18	19	20	21	22	23	24
25	26	27	28			

4월

일	월	화	수	목	금	토
1	2	3	4	5	6	7
8	9	10	11	12	13	14
15	16	17	18	19	20	21
22	23	24	25	26	27	28
29	30					

5월

일	월	화	수	목	금	토
		1	2	3	4	5
6	7	8	9	10	11	12
13	14	15	16	17	18	19
20	21	22	23	24	25	26
27	28	29	30	31		

1월

일	월	화	수	목	금	토
	1	2	3	4	5	6
7	8	9	10	11	12	13
14	15	16	17	18	19	20
21	22	23	24	25	26	27
28	29	30	31			

① 2월은 28일까지 있으므로 2월 달력부터 찾습니다.
② 2월 달력의 첫 날과 마지막 날을 보고 1월과 3월 달력을 찾습니다.
③ 3월 달력을 보고 4월, 5월, 6월 달력을 차례로 찾습니다.

어느 해 10월부터 다음 해 3월까지의 달력이 섞여 있습니다. 각 달의 달력을 찾아 빈칸에 알맞은 수를 써넣으세요.

12월

일	월	화	수	목	금	토
		1	2	3	4	5
6	7	8	9	10	11	12
13	14	15	16	17	18	19
20	21	22	23	24	25	26
27	28	29	30	31		

2월

일	월	화	수	목	금	토
	1	2	3	4	5	6
7	8	9	10	11	12	13
14	15	16	17	18	19	20
21	22	23	24	25	26	27
28						

10월

일	월	화	수	목	금	토
					1	2	3
4	5	6	7	8	9	10
11	12	13	14	15	16	17
18	19	20	21	22	23	24
25	26	27	28	29	30	31

3월

일	월	화	수	목	금	토
	1	2	3	4	5	6
7	8	9	10	11	12	13
14	15	16	17	18	19	20
21	22	23	24	25	26	27
28	29	30	31			

1월

일	월	화	수	목	금	토
					1	2
3	4	5	6	7	8	9
10	11	12	13	14	15	16
17	18	19	20	21	22	23
24	25	26	27	28	29	30
31						

11월

일	월	화	수	목	금	토
1	2	3	4	5	6	7
8	9	10	11	12	13	14
15	16	17	18	19	20	21
22	23	24	25	26	27	28
29	30					

① 28일까지 있는 2월 달력을 찾습니다.
② 2월 달력의 첫 날과 마지막 날을 보고 1월과 3월 달력을 찾습니다.
③ 1월 달력을 보고 전 해 12월, 11월, 10월 달력을 차례로 찾습니다.

정답

형성평가

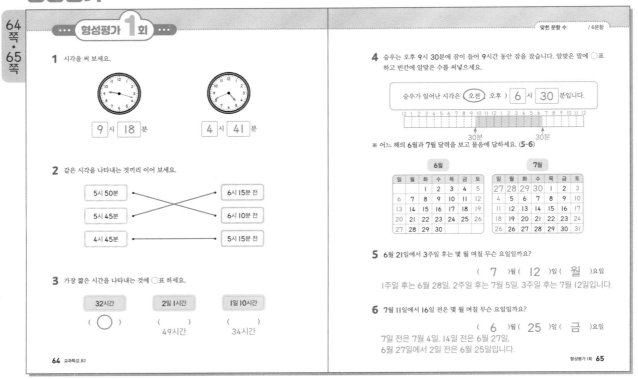

형성평가 1회

맞힌 문항 수: / 6문항

1 시각을 써 보세요.

9 시 18 분   4 시 41 분

2 같은 시각을 나타내는 것끼리 이어 보세요.

5시 50분 — 6시 10분 전
5시 45분 — 6시 15분 전
4시 45분 — 5시 15분 전

3 가장 짧은 시간을 나타내는 것에 ○표 하세요.

32시간 (○)   2일 1시간 (49시간)   1일 10시간 (34시간)

4 승우는 오후 9시 30분에 잠이 들어 9시간 동안 잠을 잤습니다. 알맞은 말에 ○표 하고 빈칸에 알맞은 수를 써넣으세요.

승우가 일어난 시각은 (오전) 오후 6 시 30 분입니다.

※ 어느 해의 6월과 7월 달력을 보고 물음에 답하세요. (5-6)

5 6월 21일에서 3주일 후는 몇 월 며칠 무슨 요일일까요?

(7)월 (12)일 (월)요일
1주일 후는 6월 28일, 2주일 후는 7월 5일, 3주일 후는 7월 12일입니다.

6 7월 11일에서 16일 전은 몇 월 며칠 무슨 요일일까요?

(6)월 (25)일 (금)요일
7일 전은 7월 4일, 14일 전은 6월 27일,
6월 27일에서 2일 전은 6월 25일입니다.

64 교과특강_B2

형성평가 1회 65

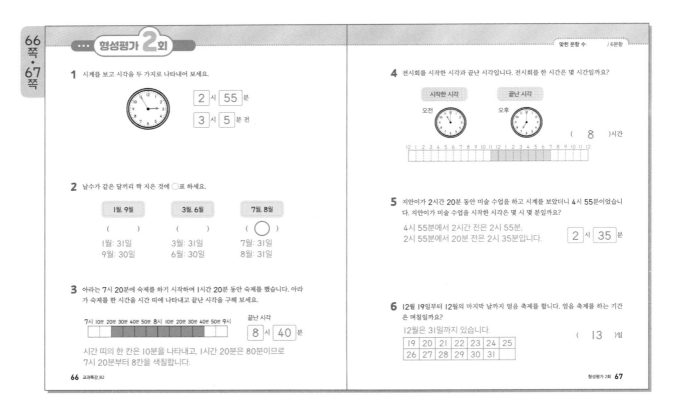

형성평가 2회

맞힌 문항 수: / 6문항

1 시계를 보고 시각을 두 가지로 나타내어 보세요.

2 시 55 분
3 시 5 분 전

2 날수가 같은 달끼리 짝 지은 것에 ○표 하세요.

1월, 9월 ( )   3월, 6월 ( )   7월, 8월 (○)
1월: 31일   3월: 31일   7월: 31일
9월: 30일   6월: 30일   8월: 31일

3 아라는 7시 20분에 숙제를 하기 시작하여 1시간 20분 동안 숙제를 했습니다. 아라가 숙제를 한 시간을 시간 띠에 나타내고 끝난 시각을 구해 보세요.

7시 10분 20분 30분 40분 50분 8시 10분 20분 30분 40분 50분 9시

끝난 시각   8 시 40 분

시간 띠의 한 칸은 10분을 나타내고, 1시간 20분은 80분이므로
7시 20분부터 8칸을 색칠합니다.

4 전시회를 시작한 시각과 끝난 시각입니다. 전시회를 한 시간은 몇 시간일까요?

시작한 시각 오전   끝난 시각 오후

(8)시간

5 지안이가 2시간 20분 동안 미술 수업을 하고 시계를 보았더니 4시 55분이었습니다. 지안이가 미술 수업을 시작한 시각은 몇 시 몇 분일까요?

4시 55분에서 2시간 전은 2시 55분,
2시 55분에서 20분 전은 2시 35분입니다.   2 시 35 분

6 12월 19일부터 12월의 마지막 날까지 얼음 축제를 합니다. 얼음 축제를 하는 기간은 며칠일까요?

12월은 31일까지 있습니다.

| 19 | 20 | 21 | 22 | 23 | 24 | 25 |
| 26 | 27 | 28 | 29 | 30 | 31 | |

(13)일

66 교과특강_B2

형성평가 2회 67

"교과수학을 완성합니다."

수와 도형의 배열에서 규칙을 찾아
사고력을 기릅니다.

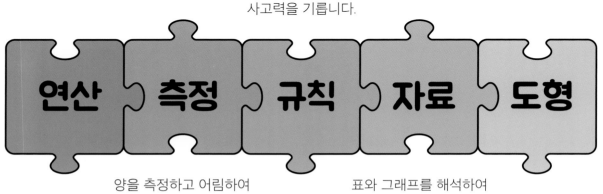

양을 측정하고 어림하여
실생활의 수 감각을 기릅니다.

표와 그래프를 해석하여
추론능력을 기릅니다.